ЗВЕЗДА РУНЕТА•ТРИЛЛЕР

Павел Давыденко

УЧИЛКА

Москва
Издательство АСТ

УДК 821.161.1
ББК 84(2Рос = Рус)6
    Д13

Серия «Звезда Рунета. Триллер»
Серийное оформление: *Юлия Межова*

Давыденко, Павел Вячеславович

Д13   Училка / Павел Давыденко.— Москва: Издательство АСТ, 2018.— 315, [2] с. — (Звезда Рунета. Триллер).

ISBN 978-5-17-105749-7

Любовь и ненависть, дружба и предательство, боль и ярость — сквозь призму взгляда Артура Давыдова, ученика 9-го «А» трудной 75-й школы.

Все ли смогут пройти ужасы взросления?

Сколько продержится новая училка?

УДК 821.161.1
ББК 84(2Рос = Рус)6

ГЛАВА 1

ТЕПЛЫЙ ПРИЕМ

— Так кто теперь вести будет? — зевнул Турка.

— Проханов видел новую историчку. Молоденькая, говорит,— ухмыльнулся Вовка Плетнев.

— Молоденькая? Значит, до инфаркта ее не доведут.

В классе стоял гул. На исцарапанной, темно-зеленой доске красовались всякие человечки, кривые буквы «ПЕТЯ ЛОХ».

Над доской висели истрепанные фотоплакаты: «Джоконда», «Париж, вид сверху», «Лувр», «Римский Колизей». Сбоку, напротив ряда окон и на задней стене,— портреты русских полководцев и вояк, в деревянных рамках и под стеклом: Ушаков, Нахимов, Суворов, Кутузов, Жуков.

Только вдуматься — еще целый год прозябать тут! После трех месяцев свободы, когда уже совсем привык к ней и расслабился донельзя, когда уже почти поверил, что школа была лишь страшным сном, да и то чужим. Целый год.

— Вторую матешу поставили последней, ваще нека-айф,— Вова увернулся от бумажки.— Специально, чтоб с общества не спетлял никто. Хотя Конова ушла...

— Она ж на подкурсы в сам-знаешь-куда,— отозвался Турка, и приятели захихикали. Гул голосов одноклассников повис над потолком настойчивым пчелиным жужжанием.

Преподавательница-то какой пример подает — опаздывает!

Ленка Конова и впрямь ничего, симпатичная. В начальной школе она была незаметной, неказистой девчонкой, а теперь расцвела.

Вот вернулась откуда-то в прошлом году. Бродили разные слухи: то она перешла в другую школу, то уехала за границу, почему-то говорили про Флориду. Глаза у нее теперь густо подведены, она постоянно жует резинку и слушает музыку в наушниках. Ни с кем не разговаривает и на уроках не отвечает. Сидит и буравит взглядом учителей, если спросят что-то.

Девчонки всякое про Ленку говорили. Всякие ходили слухи.

Скрипнула дверь, и зацокали каблуки. Ученики стали поворачивать головы, гул мигом стих. Новая преподавательница: строгая твидовая юбка чуть прикрывает колени, верх — красная кофточка-водолазка без выреза. Прошла между рядами парт, переступая через раскрытые рюкзаки.

Вовчик приоткрыл рот. Турка пожирал учительницу глазами. Жалко, что нет выреза... Все подрагивает в такт упругим шагам, водолазка вот-вот лопнет.

Волосы собраны в строгий пучок. Турка легко представил, как учительница выдергивает из пучка заколку и каштановые пряди, струясь, ниспадают на хрупкие плечики, обрамляют высокие скулы.

И что-то непонятное в выражении лица. Волнуется? У Турки возникло ощущение, что он уже видел эту новенькую учительницу раньше.

Учительница замерла у доски с прямой спиной. Обвела взглядом класс и улыбнулась:

— Здравствуйте, ребята! Я буду вести у вас обществознание и историю.

— Сексознание? — переспросил кто-то. Вовка злобно поглядел в ту сторону и тут же отвернулся. Там сидела банда, терроризировавшая всю школу: Крыщ, Тузов и Рамис — не хватало только Шули.

— Ну, давайте знакомиться. Меня зовут Мария Владимировна,— чистый, звонкий голос отражался от стен, от пыльных занавесок, от окон с подтеками. От этого голоса у Турки вибрировало тело. Ребята не реагировали на приветствие, причем неосознанно. Турка сразу заметил, что девчонки поражены. Вон как Алина Воскобойникова рот открыла. Та еще штучка!

Пацаны уже потихоньку шевелились и шушукались. Лед удивления, сковавший на несколько мгновений класс, потрескался и таял.

— Итак, делаем перекличку. Я называю фамилии по списку, а вы встаете и показываетесь мне. Должна же я вас потихоньку запомнить.

— Вряд ли ей это понадобится,— бормотнул Вовка.— Турк, как думаешь, сколько продержится?

С передней парты повернулся Петя Русаков. Глаза у него были по-особенному тусклые, как будто пылью засыпаны.

— Лучше бы кого-то типа музычки поставили,— шепнул он краем рта,— она хоть гаркнуть может.— И отвернулся.

Вовчик скорчил рожу, ткнул Петю в спину кулаком так, чтоб Мария Владимировна не увидела, и зашипел:

— Да ты дурень, что ли?!

Турка согласно кивнул и прыснул в кулак.

— Начинаем. Асламов?

Поднялся молчаливый Рустам. Он никогда не принимал в конфликтах чью-либо сторону, редко смеялся. Рустам всем давал скатывать математику и просил написать за него сочинения по русскому языку.

— Баринова? Так, хорошо. Батраков? Березин? Водовозов Алексей? Водовозов Григорий?

Лешка и Гришка — братья-близнецы. На первый взгляд никаких отличий между ними нет. Вовка божился, что научился их отличать, а сам Турка всегда их путал. Смышленые пацаны.

Перекличка тихонько себе катилась, опять начал нарастать гул, как будто кабинет постепенно приближался к водопаду.

Турка подпер щеку ладонью и задумался.

Предыдущую учительницу истории и обществознания — Зинаиду Альбертовну — положили в больницу с сердечным приступом в начале апреля. До конца прошлого учебного года она лечилась, и теперь вроде как возвращаться в школу не собирается. Трудно сказать, что именно стало последней каплей. Никто толком не отвечал на уроках, все постоянно орали, швыряли бумажки, выковыривали комки земли из горшков и бросались друг в друга. Бесились, в общем.

Плюс, Альбертовну донимал Шуля. Как начнет «общаться» с учителем, так не заткнешь. Ему слово, а Шуля двадцать в ответ.

Как-то раз в кабинете у географа после перемены запахло мочой. Олег Анатольевич ушел в подсобку, а ему на стул подложили здоровенную кнопку, монтажную. Вол тогда носил с собой целую коробку.

Олег Анатольевич на такой дешевый фокус не купился. Только внезапно вспыхнул и швырнул кнопку в аудиторию. Покраснел весь и стоит, сжимает и разжимает кулаки. Шуля тихонько поднялся и сказал:

— Вы в меня попали кнопкой.

— Сядь! — гаркнул географ.— Кому говорю?!

— Извинитесь, тогда сяду,— ухмыльнулся Шуля.

— Вышел из класса,— географ побагровел еще сильнее.

— Чего это? Я за знаниями пришел. Почему я должен выходить?

— Потому что я тебе сказал. Преподаватель. Выйди.

Географ тяжело дышал, на шее вздулась и пульсировала жила. Глаза блестели, и он, не мигая, смотрел на Шулю. Тело под мешковатым пиджаком напряглось.

— Нет, вы извинитесь сначала. А если в вас кнопку кинуть? Приятно будет?

— Попробуй. Я тебе ее потом знаешь куда воткну?

— А я тогда на вас в суд подам. Вы как преподаватель не имеете права...

— Подавай. Можешь прямо сейчас идти,— географ резко дернул головой.

— Ну и пойду! — Проходя мимо первой парты, Шуля остановился и поглядел на географа в упор. Потом замахнулся и сделал вид, что поправляет волосы.

Учитель перехватил руку и толкнул Шулю в грудь. Тот отпрянул и налетел на первую парту. Выбил из рук Саврасовой Карины ручку. Она вроде как на домашнем обучении, но иногда приходит в школу и сидит за первой партой с безумным видом. Больная или немного отсталая — неизвестно. Однажды Вовка спросил: «Кто за тебя написал сочинение?» Карина ответила: «Сама». Тогда он сказал: «У тебя не хватит мозгов», а Саврасова продолжила глядеть перед собой с отсутствующей улыбкой.

— Ты чо толкаешься!

— ПОШЕЛ ВОН! — завизжал географ. Банда Шули заливалась хохотом на задних партах, Тузов гоготал, а Крыщ дергал ногами и стучал кулаками по болтающейся ДСП-шной крышке парты.

— Заткнулись все! Проваливай из класса, олух!

— Кстати... Я полил ваши цветы,— Шуля отошел поближе к двери, потирая бедро.— Ах, пятиминутка... Каждый горшок,— уточнил он, скалясь гнилой улыбкой. Турка думал, что Шуля и родился с этими коричневыми карамельными пеньками во рту. Олег Анатольевич бросился на него, а Шуля выскочил за дверь.

Географ вернулся минут через десять, бледный до синевы. К тому времени все уже потихоньку ожили и обсуждали случившееся. Касьянов таскал за волосы Муравья, Рамис плевался из трубочки катышками бумаги. Попал пару раз в Саврасову — она лишь мотнула головой и продолжила глядеть перед собой: руки сложены на парте, спина прямая.

— Давыдов! — Турка вылез из-за парты. Встретился взглядом с учительницей. Руки скрестил спереди, почему-то стало неловко. Сзади что-то шептали, но он ничего не видел, кроме зеленых глаз и ярких училкиных губ.

— Я,— хрипло выдавил он.

— Очень хорошо. Китаренко?

Турка сел. На фоне девчонок (даже если сравнивать с Коновой или Воскобойниковой Алиной) новая преподавательница прямо топ-модель.

Зинаидка-инфарктница была сущей гарпией. Жирная тетка, которой на вид можно дать и сорок пять, и шестьдесят лет. Волосы с проседью, а зубы щербатые, как дряхлый забор.

— Уфимцев... Филимонова... Филиппов... Хазова, Шульга? Ребята, потише, пожалуйста!

Вол часто краснеет — что-то с давлением, скорее всего, и всегда такой отвратительный у него цвет кожи, мертвецкие оттенки — бордовый, синюшно-фиолетовый или пепельно-черный.

Вол никогда ничего не писал в тетрадях. Собственно, и тетрадей он никаких не носил. На каждом уроке перед ним лежал листочек в клеточку, и Вол рисовал там какие-то каракули.

— Шульга? Отзови-ись! — пропела учительница. Шуля отозваться не мог, естественно. Кто-то из ботаничек на первой парте подсказал учительнице, что его нет.

— Не буду ставить «энку», у нас ведь первое занятие в этом году.

— И последнее,— шепотом добавил Вовка.

— А он вообще не ходит на уроки,— сообщила Воскобойникова.— Прогульщик!

— Понятно... Дальше у нас Шарловский, Щепак... Ага, вижу. Щипачева? — Поднялась сухая, похожая на галку девочка с прямыми волосами и бесцветным лицом.— И Дмитрий Якоренко,— Мария Владимировна облизала губы и обвела взглядом класс. Постучала по раскрытому журналу ручкой.— Что ж, начнем. Итак, в прошлом году вы ведь уже проходили начальный курс обществознания? Этот год у вас выпускной, а у некоторых и вовсе последний в школе. Помните, что предстоит в мае— июне? — Мария Владимировна заходила вдоль доски.— Обязательный государственный экзамен, а потом четыре выпускных. Две обязательные дисциплины и две по выбору. Если мы с вами найдем общий язык, жить вам будет гораздо легче,— она подмигнула как будто всему классу сразу. Турка подумал: «Подмазывается».

— Так, кто-нибудь скажет, что же такое «обществознание»? — продолжала Мария Владимировна.— Какую тему изучает предмет? Ну, кто знает определение?

Класс зашептал, зашелестели страницы. В крови у всех бродил дурман лета, мозги не работали. Сегодня и на математике все тупили, и на русском языке тоже.

Вовка укрылся за чужими спинами, а Турка сам не заметил, как поднял руку.

— Да, вот ты,— учительница прищурилась.— Давыдов, верно? Скажи нам, пожалуйста.

— Ну, обществознание это... Ну как бы предмет, который изучает общество. Знание общества...— Турка смутился. Он хотел как-то выделиться среди всех, и поднять руку толкнул взгляд Марии Владимировны. Раньше-то никогда сам не вызывался отвечать, только если спросят.

— Да ты гений! Знание общества! — крикнул Проханов, и все загоготали.

— А что, правильно! — возразила Мария Владимировна.

Вовка Плетнев опять толкнул Турку локтем, прыская. Учительница же продолжала что-то рассказывать, разгуливая вдоль доски.

Открылась дверь. В кабинет ввалился Шуля. Потертые джинсы с каплями грязи снизу штанин (хотя последний дождь шел месяц назад), какой-то балахон с капюшоном, кроссовки пыльные. Шуля обвел мутным взглядом класс и упал за последнюю парту среднего ряда.

Сложил руки и положил на них голову.

— Это кто? — спросила у Воскобойниковой Мария Владимировна.

— Шульга.

— Молодой человек, вы хотя бы разрешения спросили...

Шуля в ответ громко засопел. Учительница пожала плечами и продолжила рассказывать, что же за наука такая — обществознание.

Гул не стихал, мало кто сидел молча. Обсуждали всякие насущные проблемы, играли на телефонах. Кто-то дремал.

Периодически Мария Владимировна повторяла свое: «Потише, пожалуйста!», но гул стихал для того, чтобы через пару секунд стать громче. Вместе с ним усиливался и храп. Тело Шули обмякло, растеклось по парте, испещренной царапинами, маркерными и корректорными надписями.

Точку в травле Зинаидки поставил Вол. Его пугали детской комнатой или там колонией, но в итоге пожурили как обычно, и все. Из школы грозились отчислить, но до этого дело тоже так и не дошло. Уже раза три его выгоняли, а потом он снова как ни в чем не бывало приходил на занятия.

В шестом классе Вол исчез на особенно долгий срок. В кабинете биологии огрызнулся на старшеклассника Бананенко, завязалась драка. Банан ударил Волу в пах, тот отлетел к цветочным горшкам и, скорчившись, держался за причинное место. Слезы, сопли, крики, мат. Банана оттащили, в конце концов...

После Вола положили в больницу, на операцию. Он пропустил всю четверть, как помнилось Турке. Ходили слухи, что у него там все «треснуло», «разбилось и вытекло», но Вол вернулся в школу и веселился, как и раньше.

— Кто-нибудь, толкните товарища. Слишком громко храпит.

Никто не шевельнулся, Тузов и остальные захихикали. Рамис швырнул комок бумажки, но Шуля никак не отреагировал.

— Ну? Разбудите его!

— А зачем? — спросил Тузов.— Хай дрыхнет!

Улыбка на лице Марии Владимировны померкла. Учительница замерла в нерешительности, а Шуля спал взаправду, выхрюкивая рулады.

Вот преподша возле его парты. Все разом затихли и теперь следили за ней.

Двадцать восемь пар выжидающих глаз.

— В натуре, лучше не трогать,— прошептал Вовка.— Спал бы себе...

— Отвали,— махнул рукой Шуля. Потом он выпрямил спину, потянулся и зевнул. Мария Владимировна отшатнулась. Взгляд Шули сфокусировался на ее бюсте. Рот так и остался приоткрытым.

— Гхы, здрасте,— Шуля улыбнулся.

— Доброе утро. Почему спим на уроке?

— А чего еще делать?

— Где учебник, тетрадь? — она уперла руку в бок.

— Нету,— продолжал тянуть лыбу Шуля.— Нафиг она?

Этот вопрос вызвал бурный смех. Шуля своеобразно скрестил руки на груди — ладони засунул в подмышки. Гогот стих, щеки у Марии Владимировны чуть порозовели.

— Чтобы учиться.

— А я на слух лучше запоминаю.— Он повернул голову к приятелям. Подмигнул Тузову и еще раз окинул липким, оценивающим взглядом фигуру учительницы. Присвистнул и поджал губы. Снова многие засмеялись.

— Так вы у нас теперь будете вести?

— Да. Обществознание и историю.

— Какая история! — Реплика снова вызвала веселье.— Круто. А от меня вы чо хотите?

— Хотя бы храпи потише. А если предмет не интересует, так можешь уходить. Я никого силком тут не держу.

— Силикон? — переспросил Шуля, осклабясь.— А я думал, настоящая...

Что тут началось! Конец света. Мария Владимировна побагровела. Турка не смеялся, а остальные просто умирали. Шарловский в экстазе колотил башкой о парту. Близнецы хихикали, девчонки во главе с Воскобойниковой хохотали. Серьезность и отстраненное выражение лица сохранял Асламов. Он еще и учебник листал.

Когда смех стих, учительница ответила:

— Ты настолько глуп, что не знаешь простейших слов? Или глухой? Если и дальше будешь храпеть, я найду, чем тебя заткнуть.

Тузов с компанией загудели и заулюлюкали. Шуля бросил в их сторону быстрый взгляд. Ухмылка сползла с его лица, а взгляд прояснился.

— Не одна ты можешь затыкать.

— Мы на «ты» теперь? — поинтересовалась Мария Владимировна.

— Я говорю, что могу сам заткнуть тебя, если потребуется,— презрительно бросил Шуля и тут же получил пощечину. На его щеке расплылась бордовая пятерня.— Ну, и чего? Дура, что ли, блин...

Мария Владимировна задрожала. Что-то хотела сказать, но развернулась на каблуках и, чуть покачиваясь, прошагала к учительскому столу. И стала глядеть в окно, опершись о подоконник.

У нее тряслись плечи.

ГЛАВА 2
В ЧЕЛЮСТЬ

Задребезжал звонок. Ребята повскакивали, ножки парт заскрежетали по паркету. Шуля медленно поднялся, по-свойски кивнул учительнице и вразвалочку побрел к выходу. По дороге дал подзатыльника Пете Русакову, а тот резко развернулся и, увидев кто перед ним, подал руку для приветствия. Шуля, не глядя, шлепнул по протянутой ладони.

— Ты чего? На перемену пошли! — позвал Вова.

— Пошли,— Турка кивнул, не сводя взгляда с учительницы. Она не плакала, теперь уже листала классный журнал. А Воскобойникова дожидалась, пока она сделает нужные пометки.

Вышли в пыльный коридор. Пол блестел, пахло мастикой и краской. Тут и там виднелись черные полосы от обуви, пыльные следы.

Турка, как и многие, ходил без сменной обуви. Дождя нет, сухо...

Стены тошнотворные — и не желтые, и не зеленые. Как сопли. И батареи тоже выкрашены. Сидеть на радиаторах запрещается, но всем пофиг. Когда начинаются дожди и холода, милое дело погреть задницу на батарее.

Потолки побелили. Такое чувство, будто просто воду размазали, тут и там остались разводы. Паркет мастикой натерли, пока еще кое-где блестит, ну и пахнет она крепко так.

— О, дружка нашел,— бросил Тузов. Однако, как и остальные члены банды, поздоровался с Вовкой.

Крыщ — армянин, зовут его Андраник. Тузов — переросток с квадратным лбом. Несмотря на угрожающий вид, огромные волосатые кулачищи, широкую бочонкообразную грудь и выпяченную вперед челюсть с кривыми зубами, он все-таки не без толики разума. Именно он — теневой лидер банды.

Ну и Рамис-дагестанец, они с Крыщом всегда лезли в самое пекло. За любой брошенный в их сторону косой взгляд или неправильное слово следовали унижения жертвы и/или избиение.

Ближе к концу прошлого года Турка решил взяться за ум. Восьмой класс удалось закончить без двоек, а математику и вовсе до четверки дотянул, с помощью Вовки.

Из школы Турка собирался свалить после девятого класса. Пока еще неизвестно куда, но подумать время есть.

Турка гулял раньше с Шулей, они толпой ходили. В школе он держался в стороне от коалиции Тузова — Крыща — Рамиса, сохранял товарищеский паритет.

— Шуль, ты с ходу за новенькую взялся? — сказал Турка, пожимая Шуле руку.

— А чо? — Тот пригладил сальные, чуть вьющиеся лохмы.— Приколол, туда-сюда. Думает, самая умная, курва. Лан, пойду мелочи стрясу в столовке...

По коридору лилась толпа, и из нее вырулил Рамис. Он снял оправу с носа какого-то ботана, а Крыщ тем временем ткнул Вовчика кулаком в живот.

— Ты чего? — сказал Вова.

— Да так, разминаюсь. А ты против?

— Оставь, Крыщ,— поморщился Турка.

— Слышь,— Тузов прочистил горло и сглотнул.—
А ты за него пишешься, что ли, теперь? Да отдай ты
этому чудиле очки, ау! — Рамис косо нацепил очки
на ботана и отпустил того с пинком под зад.

— Не пишусь, хренью не страдайте просто.

— Не, подожди. Значит, ты с ним на одном уровне теперь, да? — губы у Тузова презрительно скри-
вились.— Ты в ботаны записался?

— Даже если и записался — тебе не пофиг? —
Турка выдерживал взгляд серых, спокойных глаз.
Кажется, кто-то другой сидел внутри Тузова и дергал за ниточки, как марионетку. А он говорил то, что
нужно этому «кому-то», двигался по его указке.

— Чо ти так базарищ? — влез Крыщ.

— Ты вообще не лезь,— бросил Турка.

— Погоди, Андраник,— Тузов облизал губы.—
Он нам не нравится. Если ты с ним — ты тоже нам не
нравишься, Турик. Понял?

— Все, давайте,— Турка поморщился и, разорвав
полукольцо (двинул плечом Крыща), пошел в сторону кабинета математики.

Вовка шагнул следом, но ему преградили дорогу, а
Крыщ дал под дых.

— Я с тобой не договорил еще! — крикнул Тузов.

— А я договорил.

— Мож на школке выйдем, на разы?

— С тобой? — Турка развернулся. Драться он
умел, но знал, что против Тузова вряд ли выстоит.—
С инвалидами не махаюсь.

Тузов вспыхнул, сжал кулаки-молоты. Дело в
том, что еще классе в пятом он свалился с пожарной
лестницы, с высоты третьего этажа. Сломал левое

колено, обе лодыжки, порвал мышцы. Срасталось это дело год, еще год он вяло телепал на костылях, а школьную программу проходил на дому.

В итоге Тузов снова потихоньку начал шагать без костылей, вернулся в школу. Сначала был тихим, себе на уме. Подозрительным. Но сразу видно было, к какой касте принадлежит. Вскоре начали играть в футбол класс на класс, ну и его тоже пригласили.

И неуклюжий, как медведь, хромой Тузов с ходу стал столпом обороны.

Турка знал про его слабое место. Кости со связками у Тузова уже срослись, а душевная рана так и не затянулась.

Как ветхий дед Турки. Сам еле ходит после инсульта, мычит что-то, через каждое слово вставляет «б...ь», права качает.

— Ну? Ссышь, с инвалидом-то?

— Да он тебя разнесет! Ха! — встрял Рамис.

— Понял,— улыбнулся Турка.— Ты хочешь еще пару годиков от учебы отдохнуть.

Рамис тем временем прочистил горло и смачно харкнул в самое лицо Вовчику. Тот отпрянул назад и смахнул подтек. Банда загоготала.

Щеки у Вовки покраснели.

Опять задребезжал звонок. Более настойчивый, чем с урока, долгий. Захлопали двери, коридор опустел.

— Теперь с чмырем будешь общаться? — хмыкнул Тузов.

— Вот лох! — Рамис и Крыщ покатывались, хлопая друг друга по плечам. Мимо с вытянувшимся лицом прошел Русаков, следом за ним — близнецы Водовозовы.

Вовка побледнел и дрожал.

И вдруг вмазал Рамису. Тот дернул головой и стек на пол — ноги сразу подкосились. Раскинул руки в разные стороны, из носу побежала кровь.

Какая-то девчонка завизжала. Откуда ни возьмись, взялся географ, он присел и стал похлопывать Рамиса по щекам.

Лицо у Вовки позеленело, и теперь он сливался со стенами, как хамелеон. И трясся.

Рамис все-таки встал. Кровь залила подбородок, герб и часть зелено-сине-красного флага на майке. Рамис запрокидывал голову и зажимал нос пальцами, хотя на ОБЖ говорили, что этого делать ни в коем случае нельзя, кровь лилась прямо как из цистерны, и продолжать драку он не смог бы в любом случае. Да, видно, и удивился — побрел прочь по коридору. Турка кинул взгляд на Вовку, а Крыщ сказал:

— Тебе кришка, понил? — и побежал догонять дружков.

— Круто всадил,— присвистнул Турка. Вова растерянно кивнул.— На матешу идем?

— Может, домой? — промямлил Вова. Лицо стало серое, и он весь трясся. Мимо прошла стайка девушек во главе с Хазовой, Слютиной и Воскобойниковой. Они покосились на парней и зашептались.

— Да вон уже Мочалка идет.

— Блин, как же мы... Они ж меня убьют! — взмолился Вова.

— Ничего. Я что-нибудь придумаю,— отмахнулся Турка.

— Я и не собирался его бить, рука сама пошла!

Любой нормальный пацан должен отвечать, если харкнули в рожу. И это же была открытая провокация!

Зашли в класс, уселись на то же место. Разве что здесь планировка другая: дверь возле доски, рядом с ней — первая парта третьего ряда. Учительский стол-бульдозер в том же месте. Полированная столешница прикрыта толстым стеклом, под ним всякие бумажки, картонные прямоугольнички календарей и записки.

Последний урок. Как же неохота сидеть на матеше, особенно после обществознания! А Мочалка уже целую кучу всякой дряни задала, написала сбоку на доске. Турка накарябал в тетради число.

Вова выложил бордовый учебник алгебры, первую часть, вытащил новенькую тетрадку с Уэйном Руни. Поглядел на Турку и кисло улыбнулся.

— И что теперь? Ты точно придумаешь что-то?

— Ага, не боись.

Зашла Дина Алексеевна. Светло-каштановые пряди волос с сединой, как пушок одуванчика на ветру. Круглые глаза навыкате, морщины, штаны у кармана в меле, губы подведены помадой морковного цвета. Никогда Турка не понимал, зачем старухи пользуются косметикой, отвратительное зрелище.

— Начинаа-ее-ем наш у-уроооок,— протянула Мочалка скрипучим голосом. От него Турку всякий раз брало уныние. Как-то поставили сразу четыре урока математики. Все чуть с ума не посходили, а Мочалке хоть бы хны.— Вы не забыли, что у нас ГИА-А?

— Прямо сейчас? — спросил Ваня Проханов. По классу прокатился смех.

— Нет, Ванечка, в конце года. А прямо сейчас у нас многочле-ены!

— Члены! — выкрикнул Вол и противно захихикал. Дина Алексеевна взяла со стола растрепанную книженцию, Воскобойникова подала математичке журнал. Та села за стол, послюнила палец и принялась листать страницы. Класс потихоньку начал шушукаться.

Матеша — один из немногих предметов, где хоть какая-то дисциплина. Хотя если Мочалка выходит в коридор, начинается обычная песня. Бумажки, драки, выбрасывание из окна портфелей.

Самая милая забава — выкинуть чей-нибудь рюкзак. Обычно сбрасывали вещи Муравья. После он убегал и не ходил в школу пару дней.

Дина Алексеевна действительно похожа на растрепанную, древнюю мочалку, которую рука не поднимается выбросить. Вроде бы уже невозможно пользоваться, и куски войлока отваливаются или там поролона, а ее все хранят.

Мочалка закончила заполнять журнал, и, нацепив на мясистый нос очки со стеклами-половинками, деловито напомнила:

— Ребята, у нас ГИА. Вы хоть понимаете? Сложнейшие тесты, никакой помощи на экзамене. Никаких мобильников и даже калькуляторов. Боже упаси вас притащить шпаргалки. Да за это сразу выгонят! — она заходила вдоль доски.— Мы должны за полгода пройти программу — господи, да что там проходить? И уже с марта начнем подготовку к Государственной Итоговой Аттестации. Будем разбирать тесты за прошлый год. В этом же году будут совершенно другие. Они приходят в запечатанном виде, доступа к ним нет. Так, и кто же мне скажет, что такое многочлен? Какой способ решения мы разобрали на первом уроке? — она оглядела безмолвные ряды поверх очков.

— Члены! — снова выкрикнул Вол.

На этот раз почти никто не отреагировал. Кто вообще думает об экзаменах в первую неделю учебного года?

Кто-то из ботанов с грехом пополам ответил на вопрос. Дина Алексеевна снова начала твердить про план, про контрольные, про геометрию (вот что Турка никогда не понимал и от всей души ненавидел), снова про экзамен, начала вспоминать прошлый год... Самый верный способ оттянуть начало занятия — это спросить у Мочалки про ГИА. А потом только и успевай поднимать голову, чтоб не заснуть.

Турка не думал, что девятый класс будет таким уж сложным. Сдает же как-то народ эти экзамены, значит, серьезных проблем не будет. Вон Вол вообще сидит и режет раскатанную в колбаску жвачку на кусочки.

Вот так и надо жить, без особых тревог и забот.

Потом Мочалка вспомнила о перекличке, отметила отсутствующих и продолжила рисовать всякую дребедень на доске. Вызвала Шарловского, тот что-то начал мямлить, найти корни многочлена не смог и сел на место с двойкой.

Затем вышел еще кто-то, еще...

Турка думал о Коновой. Хорошо бы проводить Ленку после школы, узнать, где она живет. Или просто взять у кого-то из девчонок номер и позвонить?

Ну нет. Начнут шептаться, слухи — дело такое. Неохота как-то, чтоб все знали. Вот и про саму Лену говорят всякое: то она ни с кем не разговаривает и парней презирает, то она дает каждому встречному.

Воскобойникова чешет, что Конову *это-самое* двоюродный дядя. Что ж, всякое бывает, но Турка не верил. Позавчера Ленка пришла в белой обтягивающей маечке. Собирала волосы в хвостик, руки подняла, и Турка увидел мельком подмышки. Сероватые, выбритые и с прыщиками раздражения.

От этих мыслей и сейчас появилось напряжение в штанах.

В дверь постучали, на пороге появилась целая компания: Тузов, Крыщ, Рамис — с ватками в носу — и прочие.

— Дина Алексеевна, можно?

— Где это вы были? — Мочалка поглядела на них поверх оправы.

— В медпункте. У Рамиса кровь пошла.

— Кро-овь? Так может тебя домой отпустить, Сулейманов?

— Я посижу, нормально,— ответил Рамис. Глаза блестели. Он поглядел на Вовку, а тот продолжал изучать параграф учебника. Турка внимательно следил за лицом Тузова, но ничего не мог по нему прочесть.

Тузов поглядел на портреты математиков — их тоже целая куча висит на дальней стене класса. Перевел взгляд на Дину Алексеевну:

— Так мы зайдем?

— Заходите, ребятушки. Я вам «энки» уже поставила, ну ничего. Корегой замажу.

Близнецы приглушенно захихикали. Вол тоже заржал, и под шумок швырнул в Русакова катышек жвачки.

Проходя мимо, Рамис пихнул Вована и провел ребром ладони по горлу. Тот сделал вид, что не заметил, и вытащил мобильник. Поерзал и запрятал трубку обратно в карман.

— Пол-урока осталось,— прошептал он.— Ты что-нибудь придумал?

— Хочешь, можем выйти через зимний вход. Попрошу бабу Лелю, она откроет. Наверное.

— Нет, ну допустим, мы сейчас соскочим,— горячо зашептал Вован,— а дальше? Ты... Они ведь твои друзья?

— Бывшие,— после паузы ответил Турка. Ему было тяжело признаться в этом даже самому себе.

Наступил такой момент, когда надо думать о будущем и взрослеть. Дело даже не в экзаменах и учебе, просто он видел, куда подобная дорожка приводила старшаков.

Те, кого пока не посадили, воровали или грабили. Кто-то начинал колоться. Девчонки из таких компаний давали всем направо и налево, заболевали какой-нибудь дрянью или беременели никому не нужными детьми.

Уличные гулянки, мелкие кражи, водка, «районы», «стрелки». Чей-то крепкий кулак случайно не рассчитывает силу. Кто-то в пылу ярости выхватывает нож...

Кто-то, как например Рыков, падает на асфальт после удара трубой, и из трещины в голове сочится желтоватая губчатая субстанция, липкая как кисель.

Когда Рыкова выписали из больнички, даже самые близкие друзья не могли узнать в тщедушной фигурке своего приятеля. Он качал головой, что-то бормотал и весь трясся, а на нижней губе у него теперь всегда висела паутина слюны. Овощем стал.

Турка поднял взгляд на доску, в задумчивости почесал нос с горбинкой. Ему вдруг захотелось переместиться на год вперед.

Может быть, тогда он уже поступит в колледж при ДГТУ или еще куда-нибудь, найдет себе девушку — такую, как Конова, может, даже лучше.

Вовке в затылок врезалась бумажка. Он потер макушку и подобрал с парты клочок. Сырой ком бумаги, с тошнотворной начинкой «зеленца». Вова с дрожью отбросил ком, а Дина Алексеевна ничего не заметила.

— Вот ослы,— пробормотал он и добавил срывающимся шепотом: — Ваще не понял, как решать эти многочлены. Когда, она сказала, контрольная? В пятницу?

— Ага,— отозвался Турка.— Ты не боись, через зимний вход выйдем.

— Да нет. Я думаю, не стоит убегать. Буду драться. Лучше пусть сразу побьют, да и все.

Турка промолчал. Конечно, это выход. Лучше, чем просто убежать. Потому что иначе все продолжится завтра. Да и на улице Вову могут подстеречь. Не будет же он днями сидеть дома. Драться — самый лучший вариант.

Прозвенел звонок, и все посрывались с мест, наперегонки засовывая тетради в рюкзаки, закидывая ручки и учебники. Все радовались окончанию очередного учебного дня, а Вовка был бы не против отсидеть еще одну матешу. Он так и остался бледно-зеленым и чуть сдулся, как пробитый шарик.

Не успел он встать со стула, как его настиг удар. Рамис прыгнул и прямой ногой врезал в район печени.

Вова рухнул между партой и стеной, чуть не напоровшись на крючок для портфеля глазом.

— Что такое? Эй, ну-ка выходите! Рамис, Сережа!

— Извините, Дина Алексеевна, я нечаянно,— отозвался Рамис. Вовка тем временем встал, растирая поясницу. Тузов подмигнул Турке, и вся компания, ухмыляясь, вышла в коридор.

— Что это они? Ну и шутки,— нахмурилась Мочалка, снимая очки.— Ребятушки, а кто дежурный сегодня?

— Ну, мы можем,— выдавил Вова.— Только стулья задвинуть?

— Бумажечки соберите, подметите. Совочки-венички знаете ведь где? Ну и с доски сотрите... И тряпочки вымойте.

Турка вздохнул. Попали на дежурство. Вообще-то он никогда раньше не дежурил. Это ж для лохов.

— Вот козлы близнецы! Они же сегодня вроде дежурные... — пробормотал Вова.

Открыли окно. Сквозь серый заслон туч проглядывает солнце. Хороший денек, хотя чувствуется уже, что лето безвозвратно уходит. Но в сентябре еще обычно тепло, а вокруг школы тополя, тополя...

Турка с Вовой переворачивали стулья и ставили их на парты. Конечно, с обратной стороны сиденья были сплошь залеплены жвачками.

Последней из класса вышла Воскобойникова с журналом. Она терпеливо ждала, пока Дина Алексеевна заполнит его, и не обращала никакого внимания на дежурных. Высокомерная, как Снежная Королева. А какая родинка над губой...

Вовка морщился, заметая на треснувший оранжевый совок катышки жвачки и жеваную бумагу, перемешанную с колтунами девчачьих волос.

— Спасибо вам, ребятушки. За-а-кругляемся. Чистенько все, прекрасно! — хвалила Дина Алексеевна. Турка считал, что чище вообще не стало. Воняло еще в классе, старческий такой запах.

Пацаны молча вышли в пустой коридор. Турка шагал и чувствовал, как желудок колет изнутри ледяное крошево. Ладони чуть вспотели, и ноги какие-то ватные.

Турка не боялся драки. Куда проще самому получить в морду, чем смотреть на то, как твоему товарищу напихивают по самые помидоры.

ГЛАВА 3
ХОЧЕШЬ, Я...

Турка и Вова были не разлей вода в начальной школе. Лет эдак в двенадцать-тринадцать Вове купили компьютер, и он практически перестал гулять, а Турка тем временем пропадал на улице с новыми «друзьями». Пили, развлекались.

Как-то раз угнали машину — старенькую «Таврию» одного сумасшедшего дедка. Он на ней практически и не ездил. Разбили окно и завели с толкача. Кучу столбов пересчитали. Турка иногда вспоминал безумную ночь: крики, скрежет, разбитая фара кромсает на куски темноту.

Поездили так, машину сначала подожгли, а затем скатили в Темерничку. «Таврия» похлюпала, почавкала и все-таки пошла ко дну.

— Ну что, готов? — спросил Турка.

— Блин, там толпа собралась. Махач пойдет, да? Ладно, я ему пару раз врежу. Достал... Чо он, драться умеет? Так, только кулаками махать. А я на борьбу ходил немного, и на бокс.

— Сколько ходил-то?

— На борьбу три месяца. На бокс чуть побольше. Зуб выбили, вот и перестал.

— Ясно.

В вестибюле баба Клава шаркала в своих обычных лаптях и разноцветных шерстяных носках. Она всегда в них ходит — сентябрь, Новый год или май уже на дворе. Бледно-голубой застиранный халат, косынка, на лице куча крупных бородавчатых родинок и целая карта морщин.

— Ходют и ходют... Вот и вы без сменки! Я запомнила вас, завтра не пущу!

— Да мы со сменкой,— ответил Турка. Под школой и впрямь собралась внушительных размеров толпа. Баба Клава продолжила что-то говорить, размазывая по паркету лужу грязной тряпкой.

Как обычно, ходили туда-сюда малые с огромными ранцами, группки пацанов чуть постарше что-то обсуждали. В пыльном воздухе висел шум и гам. Вовка чихнул, и глаза у него покраснели.

Тузов с компанией поджидали сбоку от входа, возле трансформаторной будки. Двор вроде как собираются полностью окружить забором, обещают нормальную площадку на заднем дворе. Даже резинку постелют хорошую — так директор сказал.

Трансформаторная будка и угол фасада школы образуют угол, за которым курят, там же и ссут. Вонь соответствующая — резкий запах затушенных мочой окурков.

— О, вот они! Мы уже думали, что вы ночевать там остались, голубки! — прокричал Тузов. Остальные засмеялись. Турка с Вовой подошли поближе, банда стояла прямо рядом с трансформатором. Он противно гудел, будто улей, полный механических пчел.

Турка оценил обстановку: там кучка людей, там тоже ребята. И хотя все делают вид, что никак не заинтересованы в происходящем, сразу видно — ждут. Словно зрители на трибуне римского Колизея, того, из кабинета истории и обществознания.

Каждый вдох все сильнее сушил глотку.

Турка завесил лицо ответным оскалом, Вовка уныло плелся позади него.

— К тебе вопросов нет,— прищурился Тузов.— Можешь валить, если зубы дороги.

— Ты мне не указывай, что делать,— сказал Турка.— Надо будет — уйду. Вы толпой на одного пойдете небось?

— А если и толпой? — прищурился Тузов. Шуля стоял тут же. Он покуривал и лениво цедил слюну сквозь щель в передних зубах. Вдруг Турка понял, что посторонние голоса стихли, и теперь слышно, как шуршат листвой тополя. Всякие знакомые из параллельных и старших классов повыползали, как черви после дождя. Многие потягивали сигареты и поглядывали в их сторону, ожидая зрелища.

Всем было интересно.

— Рамис харкнул, Вован дал сдачи. Пусть решат это в честном махаче, на разы выйдут. Толпой гасить не по-пацански.

— Слышишь,— скривился Рамис,— ти вапще вали отсуда.

— Да ты ссышь просто,— прищурился Турка.— Вован тебя уроет.

— Ну, погнали, чо базарить,— Рамис размял шею, подергал плечами и принял стойку. Попрыгал на месте. Тузов, Шуля и Крыщ одобрительно заржали.

— Прямо под школой, что ли? — спросил Вова слабеньким голоском.

— Да! Давай, очкун.

Вован сжал губы в нитку и скинул в пыль рюкзак. Мешок, набитый книгами, грузно рухнул на асфальт. Вова сделал шаг вперед и тоже принял стойку, чуть согнулся и втянул голову в плечи.

«Не стоило Вовке бросать бокс»,— подумал Турка.

Бойцов мигом обступили кругом, все начали давать советы, материться и гоготать. Первым несколько выпадов сделал Рамис. Бил сбоку, как-то наотмашь, вскользь попал по лицу Вове, у того дернулась голова, а вместе с ней и каштановая шевелюра с пылинками перхоти.

Рамис засмеялся, оглянулся на своих, и в этот момент Вова бросился вперед и врезал Рамису в переносицу.

Послышался треск.

Дагестанец вновь обзавелся красным фартуком. Однако не упал, а рванул на проход в ноги. Сцепил руки чуть ниже пояса Вовки в замок и бросил борцовским прогибом. Капли крови смешались с песочной пылью и стали черными.

Турка вздрогнул, когда Вовкина макушка встретилась с ребристым асфальтом.

Толпа восторженно закричала. «Добивай, добивай его!»,— кричал кто-то. Тузов ухмылялся. Вова пытался извернуться, но шею давил замок локтевого сгиба. Вовка покраснел, стал задыхаться и сучить ногами.

Глаза полезли из орбит, губы вспухли.

И тут, когда Турка уже хотел вступиться, Вовка вгрызся прямо в мышцы противника. Рамис сначала не понял, что происходит.

Потом заорал.

Турка увидел кровь, с которой жестко контрастировали желтоватые зубы его приятеля. Если бы Вова смог укусить сильнее, хватка его противника ослабла бы, но Вова уже потерял силы, а Рамис, напротив, разбуженный неожиданным отпором, сдавил ему шею еще крепче.

Вова закатил глаза. В полоске век между ресницами мелькнул белок.

— Хватит! Задушит ведь! — Турку никто не услышал. Тогда он рванулся разнимать дерущихся, а Вова тем временем икнул. Его тело обмякло. Рамис принялся добивать противника. Беспорядочные удары сыпались, как горох из дырявого пакета — в нос, в челюсть, в глаз, снова в нос.

— Нет! — выкрикнул Турка, а его перехватило несколько цепких рук. Он вырывался, а Рамис продолжал бить — не человека, а мягкую, податливую куклу.

Послышался девчачий визг. Турке откуда-то прилетел тяжелый удар, и окружающие предметы и фигуры потеряли цвет и расплылись, будто некто убавил резкости, покрутив регулятор настройки. Он стоял на четвереньках, и в голове шумело.

Рамис встал, отирая кровь. Крыщ встал рядом с распростертым телом Вовы, широко расставил ноги.

Прозвенел звонок. Вторя ему, в воздух взвился негодующий женский крик.

Рамис успел лишь совсем немного сбрызнуть одежду Вовчика, хотя явно целил на лицо.

Из школы выскочил охранник, следом баба Клава со шваброй и Анна Имильевна, она же Анка — классный руководитель девятого «А». Спешил географ, высоко поднимая колени. Так на физ-ре бегают, с высоким подъемом бедра.

Тузов и компания бросились врассыпную, кто куда. Турка растянулся на асфальте, лишившись опоры. Мир качался из стороны в сторону, школа вдруг выросла сплошной стеной.

Она уперла руки в бока и ухмылялась, ухмылялась...

* * *

Вова сидел на кушетке, чуть откинув голову. Из носу у него торчали красноватые комки ваты. Лицо умытое, все в свежих ссадинах. Под глазом припухлость — позже она вырастет в ядреную гематому.

— Драка, значится. А кто ж зачинщик? Вишь, повелся с этим,— медсестра кивнула в сторону Турки,— вот и получил свое! Голова не кружится? Грелку сейчас дам ледяную.

— Вроде не кружится. Можно, мы посидим немного и пойдем? Не надо грелки.

— Как не надо? — Таблетка вытаращила водянистые зенки. Турка подумал, что ее глаза, похожие на шарики для пинг-понга, сейчас вывалятся из орбит и покатятся по паркету.— Ишь, грелку не надо. Героя корчит!..

Медсестра еле помещалась в небольшой комнатушке. Кушетка, широкий подоконник, заставленный пыльными склянками и коробочками лекарств, само окно — пыльное, в потеках и каплях, но зато повесили новенькое жалюзи. Еще шкафчик с какой-то дрянью, с папками и амбарными книгами, пара горшков с цветами. Стол и кресло — на нем и восседала Таблетка.

Когда-то всем делали прививки от гриппа в принудительном порядке, и Турка заболел, на месяц слег.

А одному пареньку вроде бы занесли в кровь дизентерию, что-то такое. Малолетке, из третьего класса. Хотя, может, это враки.

— Ты как?

— Нормально,— слабо отозвался Вовка.— Пошли отсюда.

— Мы пойдем, правда. Не надо грелок.

Таблетка даже не услышала. Она продолжала скрипеть шариковой ручкой. Та скользила по бумаге, оставляя за собой каракули.

Ребята неслышно выскользнули из медкабинета. Турка тащил рюкзак Вовки. Сам он носил в школу только лишь тетради, ведь всегда можно подсесть к кому-то, у кого есть учебник. В девятом классе нормальному пацану несолидно ходить с туго набитым портфелем. Свою папку с тетрадками Турка обычно закидывал в рюкзак товарища.

После побоища поднялось подобие бучи. Учителя помогли мальчишкам встать, отвели к Таблетке. Задавали вопросы, пугали детской комнатой милиции.

«Сколько это будет продолжаться? Вы в своем уме?»

Классная сказала, что так, мол, и надо:

— По делу получил, Артур. А за тебя, Вова, обидно. Хороший же мальчик!..

Вся правда в том, что никто не знает, что будет завтра. Люди вообще мало что знают, еще меньше понимают и только языками молоть и любят. Турка осознавал это, но словами бы выразить не мог.

И вот все смолкло, как будто ничего и не произошло, остались только пустые тихие коридоры. Так всегда и бывает.

Школьники из первой смены давно разошлись, вторая смена скучала на уроках. Учеба шла своим чередом.

— Пошли провожу,— буркнул Турка, когда они с Вовкой вышли из школы. Солнце светило по-прежнему ярко, стало еще теплее.

— Уроды... — нервно хихикнул Вова.— Козлы. Ну ничего... Всем отомщу. Хватит, натерпелся. Теперь такого не будет. Клянусь!

Турка молча кивал. Он знал, что если ты сразу не поставил себя, как надо, то потом тяжело выпутаться из-под гнета, заставить принять тебя без клоунской раскраски мальчика для битья, ботана... Это масти, как в армии, в тюрьме. И как во взрослой жизни.

Маски, которые прикипают намертво.

Нужно бить сразу, сразу доказывать силу. А если дал слабину и позволил шпынять себя... Возврат невозможен.

Вова продолжал что-то говорить, махал кулаками после боя. Турка его не слушал и думал о Тузове. Каков хмырь! И что у него за заскок случился?

Но теперь Турка понял, что и для него пути назад отрезаны.

Частный сектор. Ребята пошли по улице Джапаридзе, свернули на Окраинную. Тут везде домишки одноэтажные, встречались и саманные, с прогнившей крышей. Вова живет недалеко от школы, вот уже и пришли.

Из-под ворот визгливо залаял пес. Вылезла косматая башка с оскаленными зубами. Вова отпрянул назад, а Турка, недолго думая, ткнул в морду псине кроссовкой.

Шавка взвизгнула и скрылась.

— Проклятые соседи, Сомовы,— сказал Вова.— Не следят за своими псинами. Отец их из воздушки стрелял, я кирпичи швырял, а они продолжают к нам лазить. Приколи, идиоты: самим жрать нечего, и целую свору держат!

— Может, как раз их и хавают? — предположил Турка.— Щяшлик жярят, да?

— Детей тоже целая куча... Что ж, они, по-твоему, и их жрут?

— В школе никто из детей не появляется,— пожал Турка плечами, и пацаны засмеялись.

Стало как-то полегче.

— Давай уж рюкзак. Блин, я вообще про него забыл!

Турка передал рюкзак и потянул молнию:

— Сейчас, папку заберу. Ладно, давай! Мож вечером заскочу.

— Зайти не хочешь? Поиграли бы, это самое...

— Да не, что-то неохота уже.

— Ага. Ну, пока.— Они обменялись рукопожатиями, и Вова, накинув одну лямку рюкзака на плечо, стал возиться с калиткой.

Скрипнули петли, звякнула задвижка. Турка побрел домой.

* * *

Турка сделал на брусьях шесть подходов, постепенно спускаясь от тридцати пяти повторений. В шестом подходе получилось сделать всего лишь двенадцать раз. Поподтягивался — тоже шесть подходов, примерно по четырнадцать-пятнадцать раз. Лучшим результатом на перекладине Турки было двадцать три раза, так себе результат. Брусья намного легче даются.

Он здорово вспотел и устал. Даже майку скинул и подставил смуглую кожу солнечным лучам. На плечах уже начинают вылезать прыщи и угри, летом не было. Стоило поторчать на уроках, вспотеть несколько раз в пыльных кабинетах, и сразу сыпь.

Он немного посидел на пеньке возле турников, отдыхая. Хорошо. Во время тренировок все проблемы отходят на второй план. А после повышается настроение, и минут на десять будущее представляется безоблачным и счастливым.

Потом магия пропадает. Снова видишь покосившиеся домишки и хмурые лица, снова мерзко на душе.

Они ведь, можно сказать, опустили Вована. Он, когда в себя пришел, то сразу понял. Почувствовал запах.

— Привет. Занимаешься? — послышался хриплый голос. Турка вздрогнул и обернулся.

— А, испугала. Привет, Ларит.

— Курить есть?

— Да я бросил.

— Кому ты чешешь! — засмеялась девушка. Турка только сейчас разглядел темно-синие круги под глазами.

И как похудела! Руки-веточки, ноги тоненькие, скулы выпирают из-под кожи. Одета в потертые джинсы и короткую, всю в пятнах маечку. Под ней не угадывались чашечки и бретельки лифчика, грудки выпирали, а кожа на шее была в пупырышках.

«Морозит ее, что ли»,— подумал Турка.

Раньше она ему даже нравилась, а сейчас... похожа на малолетку, нацепившую мамины тряпки. Тусклая как мумия, губы сухие и с трещинками.

— Правда, сигарет нет.

— А деньги? Мне очень надо,— Ларита затравлено глядела на Турку.— Займи, а! Рублей двести...

— Может тыщу сразу? Да нету у меня!

— Хотя бы полтосик дай. Хочешь это... Прямо здесь.

— Дура, что ли? — скривился Турка.— За полтос!

— Ну, мне очень н-надо!..

— На что?

— Так... Нужно! — ее пробил судорожный озноб. Как при высокой температуре. Турка встал и смахнул со лба пот. Кожа на лице девушки просвечивала синевой, в глазах плескались чернильные кляксы.

— Ларит, не грузи! — Тогда она медленно, словно зомби, взялась за низ майки, глядя куда-то вдаль, сквозь Турку. Взяла пальцами подол с двух сторон и потянула вверх.

Открылся вид на задорно торчащие грудки. В пупырышках из-за ветерка, совсем небольшие, но неожиданно привлекательные.

— Вот,— Ларита закашлялась, глядя по сторонам.— Нормал? Дай сотку, а!

— Нету,— одними губами произнес Турка, пялясь. Так близко голую женскую грудь ему видеть не доводилось. Девчачья раздевалка — в тот раз — не в счет.

Ларита скрипуче засмеялась:

— Ну и иди, передергивай тогда, нищеброд!

И ушла. Турка некоторое время глядел на перекладину турника. От хромированной поверхности отражался свет, и высокое голубое небо над турником казалось таким свежим и чистым, что от него хотелось отщипнуть кусочек.

Турка покачал головой, прочистил горло. Сплюнул в сторону и пошел домой. Бегать на стадионе ему расхотелось.

* * *

Турка заварил кофе и отнес кружку во двор. Подумал и все-таки вытащил из маминой пачки «Альянса» сигарету. Одну штучку он сегодня точно заслужил. А маме врачи запретили курить, и она перешла на более легкие. Вообще нет смысла: теперь курит больше сигарет в день, вот и все.

Курил он с наслаждением, растягивал удовольствие. С каждой затяжкой мышцы расслаблялись, а голова заполнялась приятной тяжестью. Дышать стало немного легче, из горла ушла мокрота. Не так-то просто бросить курить. Особенно если четыре года впихивал в себя по пачке в день. Турка выпускал дым сквозь ноздри. О школе не вспоминал. Черт с ними со всеми.

Что же произошло с Ларитой? Она на год младше, в восьмом учится. Только была ли она в этом году в школе? По виду не скажешь, что ей есть дело до учебы.

Ларитой успел попользоваться весь район. По слухам, девственность она потеряла в одиннадцать, с каким-то старшеклассником. Потом стала водить в свой сарайчик пацанов — не одного, а сразу двоих-троих. Оставалось только удивляться, как это ей удается не залететь.

И куда смотрели родители? Вроде бы непьющие, адекватные более-менее.

Шуля говорил, что Ларита заразная. Он-то по этой части спец. Турка подавился кофе и закашлялся. Поставил кружку прямо на землю, прочистил гортань, смахнул слезы. Сигарету Турка чуть не докурил, и теперь глядел на дымящийся окурок с неприязнью.

Интересно, курит ли новая учительница?

Как там ее зовут? Мария Владимировна?

Турка вспомнил, как колыхалась грудь под водолазкой училки. Затушил сигарету и вылил в горло остатки кофе.

Что ж, родителей дома нет, самое время снять напряжение...

* * *

В этот раз не потребовались секретные диски. DVD-проигрыватель врубать не стал. Лег на кровать и стал представлять учительницу. Потом Конову. Затем подумал о Ларите, о том, как она подняла маечку. Можно было бы оприходовать ее прямо там — сказал бы, что заплатит потом.

«Заразная же небось»,— подумал Турка. И поморщился.

Пальцы обтер о диванную накидку, с изнанки.

После Турка лежал, и по всему телу разливалось блаженное тепло.

Турники — это здорово. От занятий пульсировали и горели ладони. На каждой уже образовалось по пять мозолей и на подушечках пальцев — тоже.

Вовка не был оригинальным. Он шутил насчет мастурбации.

— Хе-хе! От турник-о-ов мозоли, коне-еечно!

Турка только ухмылялся в ответ. Все этим занимаются, чего уж тут скрывать. Стоит ли стесняться? Ну, обычно по этому поводу парятся девственники или те, у кого нет девушки. Турка знал, что часто мастурбировать (выражаясь научным языком) — вредно чисто психологически. Конечно, не ослепнешь, но это дело расслабляет, и ничего после не хочется. Ни гулять, ни девушку искать. У Вована так и вовсе Интернет, и они с Аликом знатоки актрис — обсуждают вечно.

Охота забивать голову!

Алик все твердит, что хочет снять какое-нибудь эдакое видео на свою «Нокию».

Так, размышляя о том о сем, Турка уснул.

ГЛАВА 4

ФИЗРА

Вовка появился ко второму уроку. Первой была география, и Олег Анатольевич двадцать минут проводил опрос. Каждый вставал и рассказывал абзац из параграфа, подглядывая в учебник.

Мало кто читал дома географию, разве что совсем уж какие-нибудь ботаны. Турка тоже ответил на «четверку», в книгу почти не подсматривал.

Вторая — Мочалка с матешей, третий — русский язык.

Тузов и остальные вели себя так, как будто накануне ничего не произошло. Только посмеивались за спинами Вовы и Турки.

От вчерашней безоблачной летней погоды не осталось и следа. Небо затянули тучи, из них на землю просачивалось что-то непонятное: мелкая распыленная пульверизатором пыль.

Серые стены школы влажно блестели. На ее фасаде красовалась огромная, во всю длину, мозаика, и каждый ее камешек будто был покрыт лаком. Мозаика изображала мальчика и девочку с красными советскими звездами на груди. За ними по пятам неотступно следовало солнце — желтые, оранжевые, красные лучи. Если бы не отстраненное выражение на мозаичных физиономиях и не черные миндалевидные глаза, то можно было бы подумать, что светило хочет спалить школьников живьем.

Отсидели русский язык, потом литературу. Рустам Асламов и Муравей до сих пор читают по слогам. Впрочем, банда Тузова от чтения вслух отказывается, так что неизвестно, получилось бы у них лучше или нет.

В прошлом году русский и лит-ру тоже вело ЭТО. Бывшая библиотекарша. Возможно, она обчиталась книг и решила, что в состоянии работать преподавателем. А может, просто не удалось найти никого другого. Короче, именно эта бабка в толстенных роговых очках, чуть выше табуретки ростом и заменила преподавателя. Левая рука у нее была искривлена, изогнута под нелепым углом — неправильно срослась после перелома. Она так и таскала книги в этом сгибе, выпятив локоть.

Правда, кому нужен этот русский язык и уж тем более литература? Книги Турка особо не читал. Да и нет их дома. В библиотеку, что ли, идти? Так это для ботаников.

Наконец, физкультура. А историю поставили последней. Так бы можно было сразу идти домой.

— Фигня. Все посваливают, наверно. Я останусь, мало ли что. Да и на новенькую хочу посмотреть. Блин, какая она классная!

— Сексознание,— хихикнул Турка, но Вовка тут же свел брови. Они пришли в раздевалку первыми и принялись переодеваться. Турка поддел шорты прямо под джинсы, а приятель притащил форму в отдельном пакете. Даже носки взял.

Раздался шум, крики. В дверях раздевалки застряло несколько человек — близнецы, Петька Русаков, Шарловский, Вол — у него моментально покраснела и начала раздуваться голова. Он издавал истерическое хихиканье и отвратительно «скрипел». В спину ребят толкали, и вот целая гурьба людей, словно капельки лопнувшего мыльного пузыря, ввалилась в тесную комнатушку.

Кажется, в третьем классе Петька Русаков напоролся на гвоздь и распорол живот от пупка и до грудины. Крови вытекло целое море. Сам он плакал навзрыд и обделался — от болевого шока, как сказали.

В другой раз в давке сломали руку Березину, и тот ходил с гипсом три недели. В общем, перед физкультурой, особенно если длинная перемена, всегда мутили что-нибудь. Устраивали темную — веселуха еще та.

Всех затаскивали в раздевалку, кто-нибудь держал снаружи дверь. Свет выключали и начинали гасить друг друга — ногами, кулаками. Пинали, толкали. Кто-то прятался, а кто-то вступал в открытую схватку. Суть была в том, что даже самый слабый мог бить сильного, можно было отомстить своему обидчику, и никто бы не узнал.

Хотя у Крыща были свои способы. Он просто разбивал «раму» всем подряд. Стоит класс на построении перед началом физ-ры, Анна Имильевна выйдет куда-нибудь, и Крыщ начинает втаскивать всем по очереди в грудак. Прямо в солнечное сплетение. Кто увернется — получает уже настоящих люлей.

Так, одна из «темных» закончилась для Филимонова сотрясением мозга.

В другой раз в раздевалке подвесили на крючки Касю. Он болтался там какое-то время, пока олимпийка не лопнула.

Турка и Вован с трудом пробились к выходу. Оба были в футбольной форме: первый в нисколько не потускневшей от времени майке «Манчестер Юнайтед», с белой фамилией на спине, второй в полосатой форме «Ювентуса» — сзади желтый десятый номер.

К ним присоединился Русаков. Одет он был в смешные короткие шорты и помятую футболку.

— Фу! Ты че, не стираешь ее?

— М-м, стираю,— отозвался Петя, оборачиваясь на вопли из раздевалки.— Сегодня какой-нибудь норматив сдаем?

— Подтягивания. Ну, Турке опасаться нечего, да?

— Ага,— Турка потянулся и зевнул. «Крылья» после вчерашнего немного побаливали. Да и передние дельты тоже. Фигня, грудь должна болеть, или трицепс на худой конец, а вот поди ж ты!

— Вы на историю пойдете? Эх, домой надо после физры, до-мой!

— Сходим. Ты что, забыл, кто ведет? Фигуристая наша, подружка.

Вова, несмотря на синяк под глазом и царапины, тоже вел себя вполне обычно. А у Турки засел в груди осколок ледышки. Он знал, что Тузов на этом не остановится. Сейчас небольшая передышка, но завтра или послезавтра — в любой момент — он снова что-нибудь выкинет. Не понимал Турка веселого настроения друга.

— Что-то ты кислый. Нормальный день ведь! Чо там, матеши завтра нет? Шикарно! А в субботу первая геометрия?

— Хренометрия,— пробурчал Турка.— Ненавижу. Что родители? Спрашивали насчет фингала?

— Ага. Отец как будто бы обрадовался. Говорит, «я уж подумал, что ты совсем в компьютерном мире увяз». Они же типа с мамой беспокоятся, что я мало гуляю. Фу, как у тебя майка воняет! Врешь же, что стирал!

Подошел толстенький Алик. Он был в белой футболке со значком «БМВ» впереди и надписями на английском.

— Алик, скажи, воняет от Петькиной майки?

— А, у меня нос заложен,— прогундосил толстяк.— Не чувствую.

— Я стирал ее, просто не гладил!

— Ты к подтягиваниям готов? — поинтересовался Вовка.— Или опять руку качал вчера?

— Качал! — расхохотался Алик.— Там такие бабы, ух... С училкой как раз загрузил видео. Эти там придурки, олигофрены — я не знаю — месят друг друга в раздевалке. Что вчера у вас за тема-то была? Драка, не драка?

— Конфликт,— расплывчато пояснил Турка.

45

Рядом ошивались одноклассницы, и не хотелось рассказывать подробности при них. Да и вообще об этом толковать было неохота.

Турка поглядывал на зады, обтянутые лосинами самых разных цветов: красные у Кондратьевой, светло-голубые у Слютиной, в полосочку у Ковалевой, зеленые у Хазовой. У Воскобойниковой коротенькие шортики, половинки попы выглядывают из-под ткани. Аппетитные полукружья, загорелые бедра. Летом времени даром не теряла. Но все равно ей далеко до Коновой. Когда Ленка при полном макияже, с густо подведенными до черноты глазами, в свитерке, сквозь крупную вязь которого просвечивается темный лифчик, и в короткой юбке...

Хотя вдруг ее и впрямь изнасиловали, и теперь у нее «психологическая травма». Последнее выражение постоянно повторяет англичанка в группе Турки. Она хороший преподаватель и добрая, объясняет понятно, а если и кричит, то редко и только по делу.

Вряд ли у Коновой травма, иначе не стала бы она так одеваться.

Построились после звонка. Пошли обычные шуточки классной и проверка соответствия формы, а еще каждый предъявлял сменку, точнее, должен был сунуть под нос Анне Имильевне вонючий, пыльный пакет с обувью. На деле переобувались немногие, а она ставила точки, которые потом обещала превратить в «двойки».

— Русаков! Ты жевал, что ли, свою футболку?

— Да она просто из такого материала. Ее нельзя гладить,— ответил Петя. Он стоял в середине строя, рядом с Туркой. Первым стоял высоченная шпала —

Батраков. За ним Тузов, потом Уфимцев. Вол и Шуля форму не брали: один был освобожден из-за той-самой-операции, а второй переодевался, только когда хотел. Нормативы даже иногда сдавал.

В строю девчонок самая высокая Ковалева. Так себе баба, худая, еще и огромная щель между передними зубами. Вроде как она убегала от Уфимцева, споткнулась и приложилась зубами к мраморной ступеньке. Передние резцы треснули, вывалился треугольный кусочек. Вроде как Уфимцев должен был выплатить ей деньги на восстановление улыбки, но вот так и не сделал этого. Их семья и так с хлеба на воду, какие уж тут зубы?

Побежали по кругу, махая руками, подпрыгивая. Потом гусиным шагом, затем прыжками, как лягушки-переростки. Крыщ пнул под зад Русакова, который завалился вперед, зацепил Алика, и тот тоже упал. Анна Имильевна засвистела — на ее массивной шее всегда болтались шнурки: с секундомером, со свистком, с измерительной лентой — для прыжков.

Турке еще с утра хотелось пить, постоянно в горле пересыхало. Но не будешь же из-под крана глотать воду. Пару лет назад во многих школах прошла вспышка желтухи, и вроде бы как говорили, что всему виной грязная вода. С тех пор Турка даже дома пил кипяченую воду.

— Аккуратнее! Асатрян!

Крыщ занимался в туфлях. Обувь скользила по крашеному дощатому полу, противно скрипела и оставляла черные полосы.

...Хотя шеи-то у Анки по большому счету не было. Она толстуха, еле в двери проходит. У нее сестра-близнец, и когда-то они действительно были спортсменками, принимали участие в каких-то там этапах чемпионата России по синхронному плаванию. Но теперь они давно замужем и при детях, обрюзгли и разожрались. И вот одна преподает физкультуру в школе, а чем занимается вторая — черт знает. Турка пару раз встречал ее на районе, здоровался, путая с классной руководительницей, и та лишь молча кивала.

Наверное, привыкла, что ученики путают ее с сестрой.

— Теперь приставным шагом!

Все повиновались.

Побегали еще немного, рассчитались на «первый-второй». Турка был «вторым» и сделал по команде Анны Имильевны два шага вперед.

Началась зарядка. Размяли шею, плечевой пояс, таз. Многие смешно вертели задницами. В зале немного потемнело. Тут высокие окна, под стать потолку. До него вообще метров восемь. С наружной стороны окна прикрыты пластиковыми плафонами, похожими на рифленый забор или полупрозрачный шифер, и плафоны эти от дождей и сырости покрыла зеленоватая короста.

Душно. С внутренней стороны от мячей окна защищала огромная сетка вроде футбольной, и свет сквозь такой заслон проходил скверно. Когда ты в зале, невозможно определить, какая погода на улице. Сейчас Турке казалось, что вот-вот хлынет дождь.

Он жалел, что ему достался второй номер, иначе бы понаблюдал сейчас за Воскобойниковой. Она выгибала спину и наклонялась вместе со всеми, выпячивала зад и оттопыривала вперед грудь.

Вспомнил о Ларите. Вовке он вчерашнюю историю рассказал, и тот почти не удивился. Мол, чего ж ты хотел от наркоманки. Турка не поверил. Конечно, Ларита спала со всеми без разбору, но наркотики? Причем Вовка имел в виду вовсе не траву, а именно шприцы и героин. И откуда бы ему знать?

— Теперь сдаем «подтягивание тела в висе на перекладине»,— скомандовала Анка и свистнула.— Вызываю по списку.

Пока она ходила за журналом, начали лупить баскетбольный мяч. Шуля со всей дури пробил по оранжевому снаряду с полосками. Мяч врезался точно в лицо Воскобойниковой.

Она упала. Ее тут же окружили подружки-приспешницы. Подняли, отряхнули, и Воскобойникова обвела всех ошалелым взглядом. На щеке у нее расцвело красное пятно. Девчонки тараторили:

— Все в порядке? Алин, ты как?

— Больно?

— Ой, след-то какой!

— Синяк будет!

Узор пупырышков от мяча отпечатался на щеке, пятно расширилось, в глазах Воскобойниковой заблестели слезы. Слютина и Хазова повели ее умываться, а Шуля как ни в чем не бывало продолжил прерванное занятие — он проходил один из уровней в «Гравити». Эта игра была на пике популярности пару лет назад, сейчас все уже про нее забыли, но Шуля вот матюкался на гонщика, тыкая пальцами с обгрызенными ногтями в кнопки поцарапанного мобильника.

Вернулась Анка с журналом, поставила табуреточку напротив турника и стала листать страницы, слюнявя пальцы-сосиски.

— Асламов, прошу. Батраков готовится.

Рустам молча встал с лавки. Одет он был в серые шорты и серую же футболку. На ногах простецкие кеды за триста рублей с Центрального рынка. С желтыми подошвами, все в таких играют в футбол. Бутсы только у Березина, но он серьезно занимается.

Рустам жилистый, коренастый. Подпрыгнул, зацепился и повис на перекладине. Молча, как робот — одно повторение за другим, без всяких гримас и пыхтений. Сделал восемнадцать раз, Анка опустила голову (в чахлых волосах Турка разглядел перхоть) и поставила отметку в журнал. Рустам продолжал подтягиваться.

— Кто-нибудь, остановите уже эту машину! — выкрикнул Проханов Ваня.

Все засмеялись.

Скрипнула дверь, зашла Воскобойникова с красным лицом. Анка спросила, что произошло, девчонки из «свиты» объяснили. Анка начала искать виноватого, но оказалось, никто не видел того, кто пнул мяч, ну а Шуля, естественно, не признался.

— Трусы. Позорники. Разве это мужчины? Тьфу! — Анка покраснела, но больше ничего не добавила. На Турку накатил стыд. Ну если бы мяч попал в другую девчонку, он, может, и выдал бы Шулю. А так, Воскобойникова... Вообще плевать на эту козу. Она вечно всякие козни плетет.

Так и пошло. Кто-то делал нужное количество повторений без особых усилий, кто-то, как например

Алик или Ваня Проханов, не мог сделать и одного раза. Русаков разминался на соседнем турнике, ожидая своей очереди, и Вол сдернул с него шорты. Снова все засмеялись. На лице Анны Имильевны появилось странноватое выражение.

— Вол! Вышел из зала.

— А чо?

— Вышел, я сказала.

— А ЧО?!

— Ты болен?

— Нет.

— Тогда почему без формы? У-х-о-д-и.

— А чо? — повторил Вол. Анка смерила его долгим взглядом и листнула журнал, вздыхая.— Уфимцев!

Шуля тоже вызвался подтягиваться. Долго готовился и плевал на ладони. Выполнил свои честные десять повторений и побил себя кулаками в грудь, как будто забил гол в финале чемпионата мира по футболу. Он всегда так праздновал голы, если забивал. Не важно, на турнире за школу или просто на дворовой площадке.

Пацаны спросили, можно ли поиграть с мячом, и Анна Имильевна поморщилась:

— У нас футбол в программу не входит. Первая четверть — беговые упражнения. Сегодня не пошли на улицу, потому что там везде песок и грязь. Площадку не доделали еще. Да и небо хмурится. Синоптики дождь обещали. Вторая четверть — сдаем нормативы в зале, броски в кольцо, баскетбол. А потом волейбол у нас. Футбола в программе нет,— повторила она.

— Ну пожа-а-алуйста, ну Ан Ими-и-илллн-а! — начал канючить Березин, а за ним и остальные «футболеры». Анка решила еще немного поломаться для приличия:

— А чем вы играть будете? Мяча-то ведь нет.

— У меня есть! — подорвался Вовка.— Можно ключи от раздевалки?

Анна Имильевна протянула ему связку, Вова выбежал из зала.

Вернулся быстро, но без мяча.

— Кто-то забрал. Кто украл, а? — он снова был бледный, ключи позвякивали в руке.— КТО?

В ответ — лишь смех и пожимания плечами. Вовка чуть не плакал. Анна Имильевна молча пошла на второй этаж. Металлические ступени чуть не прогибались под тяжелой поступью.

Спустя несколько секунд в зал полетел мяч. За него тут же началась борьба— Березин успел первым и убрал на замахе Шулю, а затем развернулся вокруг своей оси. В спину ему врезался Тузов, Березин картинно упал...

Поделились, и, конечно, Турка оказался в одной из слабых команд. Вовка нормально играет, но остальные три игрока — это Максимка-ботаник, Женя-Муравей и Кася. Что с таким составом делать? Муравья сразу определили на ворота. Да он и сам не протестовал. А потом вдруг вытащил из кармана садовничьи перчатки. Тряпичные, с синими пупырышками.

— Фига се! Касильяс!

— Буффо-о-нище,— усмехнулся Турка.— Давайте играем. Я в защите буду. Макс, ты со мной. Просто выноси мяч, да и все. Вперед или в аут — куда угодно. Долго не возись.

— Ага, да,— кивнул Максимка. Он постоянно что-то бормотал под нос, пребывая в параллельном пространстве. Такой «чокнутый профессор» с вечно всклокоченными волосами.

Первый матч играли с командой Березина. Муравей потянул пару дальних «выстрелов», разок спас, когда Андрей выскочил один на один. Вообще, стоял он неплохо. Турке приходилось орать на Касю и на Вовку — они теряли мяч впереди и не возвращались в защиту.

— Уроды! Бегайте давайте!

Анка знай себе посвистывала. Арбитр с нее был аховый. Но Турка изголодался по футболу — целое лето не играл! Поэтому даже поражение не расстроило.

— Макс, красава! — тяжело дышал Вовка.— Установку выполнил! В следующий раз бей все-таки в сторону чужих ворот.

— Хорошо.

Команда Тузова играла с командой Березина. Андрей прошел сразу трех человек, усадил на задницу вратаря и забил в пустые ворота. Крыщ бросился в ноги Уфимцеву, тот сделал чуть ли не сальто и, вскочив на ноги, полез драться. Крыщ похлопал его по щеке, а Уфимцев хотел ударить Крыща в лицо, но на него накинулись остальные и удержали. Крыща тоже держали, он нелепо выкидывал ногу-в-туфле, пытаясь достать противника.

Анка засвистела.

— Асатрян! Желтая карточка.

Игра продолжилась.

Забил и сам Тузов своим широким, как стол, лбом. Рамис подал с угла поля, а Тузов переправил мяч в сетку.

Так время и закончилось. Победителя не выявили и решили бить серию пенальти. Лупили в основном мимо. Только Березин четко положил мяч в самый уголок — от штанги. Затем забил с пенальти Шуля и проехался на коленях по крашеным деревяшкам.

— Блин! С Тузовыми играть! Вот дерьмо.

— Ничего, тактика та же. Макс — выбиваешь куда-нибудь, в аут — пофиг. Пошли!

Тузов пробил без свистка, Муравей взял мяч намертво. Развел на Вовку, а противники завозмущались:

— Э, мяч на базу! Это мы так, не считается!

— Считается! — возразил Вовка.

— Э, ты уткнись там, Гнич!

— Мяч на центр! — свистнула Анка.— Разводит команда Сергея.

Вова от души зарядил мячом в Крыща, а тот увернулся, цокнув подошвами туфель по паркету. Потом сделал страшные глаза и провел ребром ладони по горлу.

Матч стартовал. Команда Тузова играла грубо. Тыкала локтями в лицо, старалась попасть не по мячу, а в голени или сзади — по пяткам. Анка не свистела, а вскоре и вовсе куда-то ушла.

Тогда и началась бойня.

Все вокруг свистели и улюлюкали, махали руками и подсказывали. Турка уже здорово вспотел и запыхался. Муравей тащил мяч за мячом, чуть ли не после каждого удара его добивали ногами, тыкали носками кед прямо в лицо, в пах. Он уворачивался, не обращал внимания на цепляющиеся за его свитерок пальцы, и вбрасывал мяч. В основном на Вовку. Тот обводил несколько человек и бил.

Один из таких проходов закончился голом.

Началась потасовка. Крыщ ткнул Вове под дых, тот согнулся. Турка хотел тоже ворваться, закричал, но на пути вырос Тузов. Он толкнул массивным, словно колонна, плечом Турку в грудь и задержал его. Вовку в это время месили уже двое: к Крыщу присоединился Рамис. Затем засвистела Анка, затопала ногами.

— Прекратить драку! Мальчики, прекратите! Да разнимите же их!

Никто никого разнимать не стал. Вол дорвался до баскетбольного мяча и пробил по воротам. Муравей решил не ловить, и мяч прорвал сетку. Она мягко скользнула по воротам и опустилась на пол, как женская ночнушка.

Послышалось далекое дребезжание звонка.

— Никто никуда не уходит! Построились! Дебилы, уроды! — Анна Имильевна продолжала свистеть, попутно отпустила подзатыльник Крыщу, а Вовка снова утирал с носа кровь.

Класс медленно и неохотно строился в шеренгу. Стихли обычные разговорчики, и лишь отдельные смешки отражались от потолка и стен.

Начался обычный урок, с вопросами без ответов. Сколько их уже выслушал Турка? И какой от них прок? Когда стоишь, потупив глаза, и думаешь о столовой, о попках одноклассниц, о том, как тебе хочется домой, и что надоело уже слушать этот бред.

И ты знаешь, что не изменишься, пока сам не захочешь, что бы там кто ни талдычил.

А сам ты меняться не хочешь. Потому что тебе плевать, и о будущем думают только какие-нибудь умники или старики, а ты учишься в девятом классе, и тебя волнуют лишь собственные желания, и нет дела ни до экзаменов, ни до университета и уж тем более до будущей работы.

Голос классной руководительницы эхом разносился под белым сводом потолка. Турка хотел спать и пить. Уйти, что ли, с истории? Но там же эта, училка...

После лекции Анна Имильевна проверила сетку и сказала Волу, чтоб тот принес деньги или новую сетку, а он опять завел свою песню: «А чо?»

Так прошла физ-ра.

ГЛАВА 5

КОНТРАЦЕПЦИЯ

Турка сходил в столовку и купил бледного чаю в граненом стакане. Пускай и не вода, но точно лучше, чем пить из крана. Чай хотя бы кипятком заливают.

Под низким потолком столовой кружили мухи, как миниатюрные истребители. Воздух был густым и спертым, стояла влажная духота. Еще Турка взял кругленькую пиццу. Пацаны прикалывались, что вместо колбасы с сыром в тесто запекают крысиные хвосты и кишки.

Шуля бродил по столовой и стряхивал «по мелочи» с ложков. Турка тоже этим раньше занимался. А что, хочешь перекусить, а денег нет. Попросил у того рубль, у того два, вот тебе уже и обед.

Сейчас это показалось ему глупостью. Здоровенный лоб выпрашивает подачки у малых. Хотя раньше делал ведь так, и что такого, вроде?

Один пацанчик из пятого класса пил густой малиновый кисель. Шуля подошел к нему и сказал:

— Малой, есть чо по мелочи?

— Не, нету.

— Что у тебя тут? Кисель? — Шуля покосился: на входе географ. Застыл и следит.— Смотри, муха села на край стакана! Фу, а ты пьешь. Да она личинку туда отложила, я видел. Слышь, малóй! Не чеши — гони рубль.

— Правда, нету!

— Я тебя запомнил,— пригрозил Шуля. Кинул быстрый взгляд — географ скрестил руки на груди. Пацанчик пожал плечами и продолжил хлюпать киселем.

На историю собирались медленно. Мария Владимировна уже сидела за столом. Сегодня на ней была более плотная кофточка, белая с расклешенными рукавами и воротником-оборкой. Вырез V-образный, ткань натянута на груди достаточно плотно. Училка встала, взяла пыльную тряпку и стерла конец «сентября» (кто-то подписал вместо «р» букву «л»). Двумя пальчиками подхватила кусочек мела и начала выводить месяц заново. Буквы витиеватые, у Хазовой похожий почерк. Сплошные кургульки. Прописная «т» похожа на «м». «И», «ша» и «эль», написанные в одно слово, превращаются в сплошные английские «u».

— Звонок был? — спросила она, не оглядываясь. Мел скрипел по доске, на пол летели мелкие пылинки.

— Был,— ответил Вова и подмигнул Турке. На первой парте уже располагались близнецы Водовозовы, на привычном месте сидел умытый Рустам (он даже полотенце с собой носит), впереди Турки устроились Петя Русаков и Максимка. Последний, по обыкновению, чему-то усмехался под нос, искоса поглядывая по сторонам.

— А где ж остальные?

— Физкультура была.

— И что? — улыбнулась Мария Владимировна.— Хотя, в общем, я же сказала, что никого не держу. Учеба — дело добровольное, тем более на моих занятиях. Неохота, чтоб среди урока базар начался. Не буду говорить банальности, вроде «это вам нужно, а не мне», просто выставлю тройки в конце, да и все. Жалко, думаете?

— Так можно не ходить на уроки? И получить тройку просто так?

— Да, можно,— кивнула Мария Владимировна.

Вовка оживился, поглядел на Турку. Тот пожал плечами. Разыгрывает, наверно, их училка. Без году неделя в школе, а уже какие-то сказки рассказывает, новшества вводит.

— Только вы остальным не говорите,— проснулся Русаков.— А то вдруг кто-нибудь зайдет, и это самое... И вообще, вы же преподаватель! Разве так можно — разрешать ученикам...

— Петька, заткнись! — зашипел Вова.— Блин, а кто ж у меня мяч утащил? Он хоть и старый, но нормальный еще. Минька настоящая, не прыгает же!

Дерьмо собачье... Я проверил кое-какие сумки, но без толку. Думаю, эти... — он мотнул головой.

Голоса вплыли в класс, хлопнула дверь. Шум, смех и ругательства, шарканье многочисленных подошв по паркету. Целая толпа ввалилась в кабинет, переговариваясь и хихикая.

— Разве не было звонка? — спросила Мария Владимировна.— Вышли и зашли как положено. Постучали, спросили разрешения.

Заново зашли только наиболее адекватные. Тузов и компания «не услышали» замечание. Они расположились на «камчатке», без спросу открыли окно — задребезжало стекло.

— Мы после физ-ры! — пояснил Рамис.— Щас вонять будет.

Учительница изогнула бровь, но ничего не ответила. Села на стул и принялась листать журнал, покусывая кончик большого пальца. Турка разглядел кроваво-красные ногти.

Стало интересно: какие они на вкус, ее пальцы. Наверняка нежные и пахнут каким-нибудь мылом-кремом.

Турка никогда и никому не признался бы в собственных фантазиях. Насчет пальцев училки.

Появились Вол и Шуля. Они тоже проигнорировали просьбу выйти и зайти как надо.

— А чо? — только и ответил Вол.

— Итак, начинаем урок,— улыбнулась Мария Владимировна.— У нас интересная тема. Новейшая история. Учебники у всех есть? Сегодня я немного расскажу о большевиках, что они вообще хотели, и как зародилось революционное движение. Вообще, планирую показать вам фильм про Романовых. Это последняя правившая династия Российской империи. Знаете, что с ними произошло?

— Им поотрезали бошки! Всем! — выкрикнул Проханов. Многие загоготали.

Учительница кивнула:

— Верно. Только в следующий раз, если вы что-то знаете, лучше поднять руку. Тогда я поставлю в свой блокнотик плюсик. Накопится пять плюсиков — и это уже пятерка.

— Фига се, крутяк! — опять Проханов. Снова все засмеялись, а Мария Владимировна только вздохнула.

— Проведем перекличку.

Снова список фамилий и привычное: «Я!», «Здесь!», «Туточки!» Кто-то молча поднимал руку. У Турки в голове бродил приятный туман, и от него тяжелели веки, и голова сама легла на парту.

В открытые окна врывался прохладный ветер вместе с мельчайшими капельками измороси. Небо заметно потемнело, и на фоне стального заслона клубились серые завихрения туч.

Воздух в классе сгущался от кислых миазмов пота.

Некоторые после физкультуры не переоделись. У Березина торчали из подмышек рыжеватые волосы.

Учительница рассказывала о большевиках, о кружках каких-то. Закуток Тузова и прочих дышал шумом и смехом, пацаны что-то разглядывали под столами. У Вола щеки сделались бордово-фиолетовыми, а на шее вздулась жила. Он сидел за последней партой среднего ряда, все время нырял под крышку парты и подначивал громким шепотом: «Давай! Да давай!»

— Ау! Прекратите разговаривать, мальчики!

Ноль внимания. Учительница продолжала рассказывать про план, в какой четверти что будет. Турку из истории волновала только Великая Отечественная война, Сталин, Гитлер, великая Красная армия и ее подвиг под Сталинградом, битва на Курской дуге и так далее. Вот как раз летом Турка книгу на эту тему прочел, настоящий учебник. Да только отец сказал, что историю перевирают, а правды никто не скажет, потому что каждый тянет на себя одеяло.

Но все равно интересно. И про газовые камеры, как мучили нацисты людей в концлагерях, какие опыты над ними ставили. Жалко, что про это не рассказывают в школах. Было бы круто. Вообще, в школе порой какие-то ненужные вещи приходится учить, а самому занимательному уделяется пара строчек в параграфе.

— Да хватит уже! Попросила ведь, тише! Вы же взрослые люди. Мужчины почти! А ведете себя как малышня.

Вол хихикнул. Послышался булькающий звук. Тузов сохранял каменное выражение на своем грубом лице, Крыщ смеялся в кулак, а Рамис всхлипывал со слезами на глазах.

Мария Владимировна поплыла по ряду. Каблуки тук-тук. Тук-тук. Сегодня она тоже была в юбке, чуть более строгой. Она прошла в конец класса, внимательно глядя под крышки парт. Вол прекратил смеяться, но на дне тупых, блестящих, словно пуговки, глаз плескалось безумное веселье.

— Хватит ржать. Или, может, мне расскажете, над чем хохочете?

— А чо? — ответил Вол и почесал сальные волосы. В воздух взвилось облачко перхоти.

— Заткнись, Вол! — прикрикнул Проханов.

— Да пошел ты,— отозвался Вол и снова прыснул. Учительница внимательно оглядела банду Тузова, заглянула под парту.

— Вы чего — домогаетесь? — спросил Шуля.— Хотите мужского внимания?

Мария Владимировна выпрямилась. Краска медленно залила персиковые щеки, затем лоб, шею и грудь. Рамис, Крыщ и Вол ухмылялись. Вовка гневно поблескивал глазами в их сторону. Турка тоже развернулся и наблюдал за представлением.

— Сомневаюсь, что ты можешь мне его предоставить. Разве у тебя есть в штанах что-то мужское?

Класс мгновенно затих. Даже в пустой комнате невозможно добиться подобного эффекта. Если бы Турка сейчас закрыл глаза, он без труда мог бы представить, что находится в аквариуме. Отголоски улицы, влетавшие в окно, казались чем-то призрачным. Как медузы, они колыхались и дрожали под потолком.

После все взорвались. Кто-то гудел, кто-то свистел, некоторые хлопали в ладоши. Глаза у Шули налились кровью. Турка отметил, что обычно нездоровая бледно-желтая кожа на его скулах побагровела. А лицо у него отвратное, изрыто мелкими оспинками от уже выдавленных прыщей и только назревающих.

Пацаны и девчонки потихоньку затихли, перешептываясь.

Они ожидали нового взрыва.

— Хочешь, после уроков покажу? — тихо спросил Шуля.

Класс снова выдохнул. Как зрители на гладиаторском поединке.

Мария Владимировна ничего не ответила. Губы сузила в нитку. Тело (грудь-то, грудь) задрожало, будто сквозь него пустили легкое электричество.

— Ублюдок,— едва слышно пробормотала она, возвращаясь к столу. Шуля оскалился, а Вол нырнул под стол. В следующее мгновение у него в руке возник похожий на слизня прозрачный шарик с водой.

Вол выкрикнул что-то и швырнул презерватив вперед. Очевидно, он целил в спину учительнице. Конечно, промазал.

«Шарик» угодил в затылок одному из близнецов — возможно, Гришке, Турка не был уверен. Естественно, тонкий латекс прорвался, вода потекла по затылку, часть жидкости попала на зеленую доску и теперь блестела там, словно масло на подогретой сковороде. Близнец вскрикнул и вскочил, махая руками и отряхиваясь. Пятна расползлись по полосатой майке, воротник, спина — все мокрое.

— Эй! Какого хрена?! — Он поискал глазами обидчика, и щеки его быстро порозовели.

— Ах вы...
Еще один презерватив просвистел над собранными в пучок волосами училки. Он врезался в стену с влажным чавканьем, и в разные стороны полетели брызги.

Турка уже плохо понимал, что происходит. В такие моменты ты превращаешься в подобие камеры наружного наблюдения. Что бы ни происходило, ты просто смотришь, открыв рот. И фиксируешь, фиксируешь. Без всяких мыслей.

Вовка тряс товарища и что-то говорил. Мария Владимировна медленно встала и медленно же поплыла к задним партам. Хотя, должно быть, она сделала это очень быстро, но время будто остановилось. Ученики поворачивались, двигались, что-то говорили, откидывали голову и смеялись, ошарашенно таращили глаза, но все это беззвучно.

Как обычно, молча сидел Асламов.

Учительница толкнула Шулю в грудь. Некоторое время его стул висел в воздухе, стоя на паркете лишь задними ножками. Шуля махал руками, пытаясь ухватиться за что-нибудь, но не смог.

Послышался скрежет, после — грохот. Шуля все-таки сложился и упал вместе со стулом. Парта тоже сдвинулась, и по полу пробежала вибрация, будто великан потряс как следует кабинет.

Снова тишина. Турка думал, что кто-нибудь из соседних классов на этаже просто обязан заглянуть в кабинет. Обэжэшник там, географ, или математичка (и по совместительству жена Олега Анатольевича), завуч, в конце концов.

Но дверь не открывалась.

Шуля быстро вскочил. Вид у него был безумный. Видимо, он не до конца понимал, что делает. Он грубо схватил Марию Владимировну за плечи и тоже толкнул, она наткнулась задом на парту, вверх взметнулись точеные ножки. Придавила кого-то на втором ряду — вроде бы как раз Алика и Шарловского. Алик поддержал учительницу и *облапал*.

Ведь случайно невозможно скользнуть пальцами по кофточке, а второй рукой — по обтянутому колготками бедру.

Мелькнули черные кружева. Что-то загремело. Это Вовка вскочил на ноги, поднял над головой стул и бросил в конец класса. Наверное, он хотел попасть в Шулю.

Но немного промахнулся.

Тузов успел в последний момент чуть отдернуть голову. Заточенный о паркет металлический квадратик, венчавший ножку стула, рассек ему бровь. Из пореза хлынул поток крови, и Тузов встал, закрывая лицо ладонями. Согнулся и заревел от боли — чистый бизон.

Шуля тем временем растирал поясницу и тяжело дышал, глядя на учительницу. Мария Владимировна, морщась, встала на каблуки. Она еще сильнее дрожала. Вся растрепанная, одна пуговка с кофточки оторвалась, но учительница даже не пыталась прикрыть просвечивающее сквозь ткань белье.

— Ты... ты сумасшедший!

— Первая толкнула!

— Ты кидал... презервативы с водой!

— Отвечаешь? — проревел Шуля.— ОТВЕЧАЕШЬ, ЧТО Я КИНУЛ?!

Проханов громко захохотал, и чем-то этот смех был похож на Аршавинский. Тузов тем временем выбежал из класса, по-прежнему закрывая лицо,— кровь сочилась меж пальцев, и тяжелые капли цепочкой потянулись вслед за ним. Он чуть не сорвал с петель дверь, за ним бросились и его дружки. Про Вовку они на время забыли.

— Мне все равно, кто это сделал. Вали из класса.

— ОТВЕЧАЕШЬ, ЧТО Я?! — продолжал плеваться слюной Шуля.

— Присядь, Шуля! — проорал Турка.— Присядь и заткнись!

Он почувствовал, что, если не вмешаются другие преподаватели, дело может дойти до чего-то серьезного. Шуля с грохотом отшвырнул стул в конец класса, к шкафчикам со всяким дерьмом вроде еще советских табличек и плакатов.

А многоликое существо — класс,— молча наблюдало и наблюдало, ждало развязки.

— Чо? Ты мне указываешь?!

— Я говорю — успокойся. Хватит.

— А я говорю, что щас тебе башку раскрою,— Шуля решительно обошел средний ряд. Уже через пару секунд зловонные запахи, исходящие от бывшего приятеля, защекотали Турке ноздри.

Пот, но не из-за физкультуры. Просто Шуля не очень-то часто мылся. Не только по причине врожденной неряшливости — дома у него не было ни газового отопления, ни горячей воды. И вот он очутился со своими гнилыми пеньками зубов возле носа Турки.— Указываешь мне? Повтори, что сказал! Руки убрал!

— Сядь,— Турка почувствовал, что слова бесполезны, и не стал дожидаться очередной реплики. Резко ткнул Шулю в живот, а когда тот чуть согнулся, добавил коленом в нос и тут же завалил хрипящего соперника ударом под дых.

Опять кровь. Весь паркет залит уже.

Потревоженные парты скрежетали ножками по полу, словно расстроенные виолончели. Турка навалился на Шулю и придавил коленной чашечкой дыхалку:

— Успокоился? А? — тот в ответ шипел что-то малопонятное.— УСПОКОИЛСЯ?!

Раздался еще один чавкающий звук и плеск.

Это Вол под шумок швырнул в близнеца Вововозова очередной презерватив.

— Слезь... да слезь ты... — хрипел Шуля.

Но уже как спущенное колесо, без особого энтузиазма.

Лужи, красные лужи...

ГЛАВА 6

ОТКРОВЕНИЯ КОНОВОЙ

Так и закончился учебный день. Турка пришел домой в смешанных чувствах. Турка не понимал, почему Мария Владимировна не позвала завуча. Да и не кричала она особо. Скорее всего, уволится или откажется преподавать в их классе. Что ж, весело было сегодня.

Хотя раньше настолько откровенного хамства не бывало. Впрочем, старшаки и не такое рассказывали. Правда, прикалывались они над старым химиком — уважением Иван Петрович Полесовой не пользовался. Сам Турка не застал уроки Полесового, только пару раз в коридоре его видел. Раздвоенный подбородок, очечки кругленькие, толстый, суетливый и будто бы утонченный интеллигент. В школе он только пару лет и продержался. Очень похож на Питера Гриффина, прямо один в один, но уволился слишком уж быстро, перевелся вроде как в колледж какой-то...

Турка пришел домой, забросил мешок на завязках в дальний угол. Потом подумал, что хорошо бы разобрать физкультурную форму, а то сопреет. Но хотелось пить и жрать, так что отложил на потом.

Он заглянул в холодильник, вытащил пакет с сардельками и кастрюлю с макаронами. Сварил три сардельки, прямо основательно прокипятил, а то уже скользкие. Макароны нагрел прямо так, в кастрюле, после вывалил в глубокую тарелку, от души залил кетчупом.

Поел от пуза. Выкурил сигаретку, выпил кофе. Все как обычно.

С неба заморосил дождик. Турка подумал, что он — ленивая задница — не стал сегодня заниматься. Вроде как физ-ра была, неохота. Сначала разогрелся, потом остыл, и снова разминать мышцы, а в такую погоду только спать и охота. Под навесом сидеть хорошо, потягивать глоток за глотком кофе и выпускать сквозь ноздри дым.

Включил телик, пощелкал по каналам. На одном шла викторина — ее вела красивая девчонка в открытом платье. Она вертелась и приплясывала:

— Кто же, кто же первым дозвонится и скажет мне слово? Внимание — приз увеличивается еще на ПЯТЬ ТЫСЯЧ рублей! Звоните — такое простое слово, друзья! Расставьте буквы в правильном порядке и дозвонитесь в студию! У нас тут прямо настоящие игры разума! — ведущая хлопала ресницами и совершала пассы ручонками.

— Вот идиоты,— резюмировал Турка.— «ЛКА-ГАЛ-ШПАР» — шпаргалка же! Придурки... — Он переключил на «Званый ужин». Лысый ведущий помогал Шандыбину готовить борщ. Переключил на МТВ. Там шел клип, и Турка принялся подпевать, кивая головой.

— Эт зе ферст дэй...

Шуля сказал, что еще разберется с ним. Да пусть что угодно несет, отморозок.

«Да я и сам отмороженный,— подумал Турка.— Или уже был?»

Сейчас он подумал, что дал родителям глупейшее в своей жизни обещание. Что будет учиться и так далее. Кому это нужно, ну кому?..

Турка накинул тонкую олимпийку, надел кроссы...

До стадиона добежал легкой трусцой. Как во сне — все вокруг было какое-то расплывчатое, а далекие здания скрывались за пеленой молочного тумана.

Ворота стадиона «Труд» оказались закрыты, лишь калитка скрипела. Турка замедлил шаг. Послышалось глухое ворчание, лай. Турка заглянул в ворота.

Так и есть, он там.

Вроде бы маленький, на кабана похож. Шерсть короткая, глазки свиные. Вместо хвоста обрубок. Шерсть короткая, коричневая.

Проклятый пес.

Турка поискал глазами хороший камешек, благо под ногами было полно щебенки крупного помола. Пес завыл и залаял, скаля зубы. Турка взял — и перешагнул порог калитки. Эта вонючая псина охраняет парковку при стадионе.

Хозяина псины Турка видел всего один раз. Это был толстый мужик, который, как и его шавка, тоже сидел в подобии будки, в небольшом вагончике-сторожке.

— Пшел вон! — Турка швырнул первый камень. Специально кинул мимо, неохота все-таки собаку калечить.

А у пса, видно, были прямо противоположные намерения, и он бросился под ноги Турке, визгливо лая и рыча. Пацан двинул тварь ногой в бок, в воздухе клацнули зубы. Тогда Турка разозлился, булыжник с глухим стуком ударил пса по хребту, и он, взвизгнув, отскочил назад, поджав хвост.

— Вали! — крикнул ему вдогонку Турка.— Отродье сраное!

— Эй, пацан! Ты собаку-то не трожь! — Из будки вывалился жирдяй. Футболка обтягивала его пузо, как вторая кожа, из-под нее выглядывал пупок.

— А чо ты за ней не следишь?! — проорал Турка.

— Так она машины охраняет! Чего ты вообще сюда приперся, щ-щегол?

— А ты как думаешь?

— Ты как со старшими разговариваешь?! — возмутился жирдяй.

— Да пошел ты,— бормотнул Турка. Не останавливаясь, перепрыгнул через небольшой железный заборчик, отделяющий резиновые дорожки с потертыми белыми полосами от асфальта, и потрусил дальше.

Стадион был заброшенным. Турка бывал тут много раз — пока не снесли трибуну. Вроде как здесь собирались и вовсе все реконструировать, чтобы потом проводить легкоатлетические соревнования. Поле теперь больше походило на огород: похоже, никто за ним не следит. Каркали вороны, целая стая. Что-то выискивали в траве, переговаривались, летали с места на место.

— Артур! Привет! — раздался девичий голосок. Кто бы это мог быть? Турка поднял голову, и рот у него разъехался до ушей.

Попа, обтянутая черными лосинами, толстовка распахнута, розовая кофточка облепила груди. Из болтающихся наушников лилась песня, и Турка сразу узнал хриплый голос Кобейна, тянущий «come as you are».

Как он сразу не заметил Ленку? Все из-за жирдяя.

— Привет! А ты чего здесь?

— Жир с ляжек сгоняю. А ты? На физ-ре не набегался?

— Да сколько мы там поиграли — пятнадцать минут? Меньше даже. Какой там у тебя жир!

Конова засмеялась.

— Решила вот сегодня не ходить на учебу. Иногда мне не хочется идти в школу, и тогда я отдыхаю. Так тяжко по утрам вставать!

— Странно,— хмыкнул Турка.— Блин, никто так не говорит. Ну, обычно пытаются отмазаться. Мол, к врачу ходила, или живот болел.

— Да мне пофиг. Ты бегать пришел или трындеть? — усмехнулась Конова.— Давай догоняй!

И вот уже Турка значительно воодушевился и повеселел. Куда приятнее бежать рядом с девушкой, и неважно, какая погода. А еще лучше бежать сзади нее и смотреть, как подрагивает обтянутый лосинами зад. На ногах у Ленки были новенькие кроссовки «Рибок» темного цвета с красными шнурками, белые носочки контрастировали с лосинами.

Пробежали круг, два, пять. Конова бежала легко и непринужденно, а Турка едва поспевал за ней с непривычки. Раньше-то он любил круги нарезать, когда-то давно. Еще с отцом сюда приходили. Правда, тот быстро сдался: больше чем на месяц его не хватило.

Пробежали еще три круга. На восьмом Турка заметно отстал от Ленки, хотя и старался изо всех сил прибавить. Куда там! Она бежит себе, а из наушников музыка льется.

Турка думал, что сойдет с ума, когда они побежали десятый круг. Он смотрел на ворон и завидовал им. Слышал, как лает тот проклятый пес, и ему тоже завидовал. Тело горело огнем, по лбу, вискам и скулам струился пот. Ветер ерошил мокрые волосы, легкие горели, и не хватало кислорода.

«Нужно бросать курить, нужно бросать курить, сколько там осталось, да хватит уже, остановись, теперь ни одной сигареты»,— мысли кружились в голове Турки, как птицы, захватывая сознание.

Конова пошла шагом. Турка обрадовался. Теперь можно просто ХОДИТЬ по-человечески и дышать полной грудью, вбирать прохладный воздух всем нутром.

— Ты... как зашла... собака там...

— Да я с другой стороны. Там калиточка открытая,— пояснила Лена, вытаскивая наушники.— Хорошо пробежали. Я сюда часто прихожу, а летом так и вовсе чуть ли не каждый вечер бегала.

Турка уткнулся ладонями в колени и дышал, опустив голову. Поднял взгляд на Лену, кивнул. Кто бы мог подумать! Тогда понятно, почему у нее такая дыхалка. Вот только это никак не вязалось с Туркиными представлениями о жизни Коновой.

Он вспомнил, как шутили с Вовкой насчет порнотехникума, будто Конова собралась туда поступать. Так бывает — когда тебе кто-то нравится, ты шутишь на его счет, делая вид, что человек тебе безразличен.

— Молодец. Надо бы и мне тоже не бросать... Ты щас домой?

— Ага. Пошли, проводишь? — сказала Конова, и у Турки скакнуло сердце. Если бы это предложила любая другая девчонка, то просто проводил бы и все, а так аж горячая волна пробежала по телу.

— Ну пошли. Как тебе новая историчка?

— А, какая-то странная. Видно, что не здешняя,— Лена заткнула за ухо выбившуюся из пучка прядь волос. Лицо у нее раскраснелось, на щеках выступила испарина. Губы чуть распухли, и Турке хотелось притянуть девушку к себе и впиться в них ртом.— А вообще-то она нормальная. Я бы, например, тоже не смогла у нас преподавать. Тридцать человек — и все дебилы. Ну, почти все,— улыбнулась Конова. Турка тоже тянул лыбу, поглядывая на одноклассницу.

— Ты это... как лето провела?

— Да хорошо. Как все, наверное. Как вернулась из деревни, так и сидела за компом. Ужас как там скучно! Людей нет, развлечений тоже нет.

— Чего ж поехали туда?

Конова замолчала. Турка понял, что этот вопрос задавать не следовало. Смутился и теперь шел, разглядывая носки ботинок. Они уже поднялись по пустынному бугру, изрытому ямами, и вышли к пресловутой калитке, с неба опять срывались мелкие капельки дождя.

— Так, поехали. Отдыхать типа, бабушке помочь. Правда, она мне не родная. Ты сам-то как лето провел?

— Гулял, бухал. Купаться ездили часто, на речку и на водохранилище. На машине. Шуля за рулем был, без прав, само собой. Сейчас думаю — как это нас не остановили ни разу? Наверное, испугались. Пять быков в шестерке, сама понимаешь...

— Ха! Ты-то уж знатный бык! — фыркнула Лена.

— А чего? Ну так с нами старшаки были же! Валек, друг Шули — огромная туша, килограмм сто весит. Жмет полторы сотни, в зале занимается. Я тоже думаю скоро в зал пойти, только пока не знаю, в какой. Неохота встречаться со старыми друзьями, я ж вроде как на путь исправления встал.

— Да? — изогнула бровь Лена.— Ну надо же... Блин, не люблю сентябрь. «Wake me up, when September ends»,— вздохнула девушка.— Знаешь эту песню?

— Нет.

— Ты что, это ж «Гриндэй»! — Лена так забавно подняла брови, что Турка расхохотался.

— Ну не знаю просто вот.

— Темнота!..

Так потихоньку добрались до невысокой пятиэтажки. Обшарпанная, оббитая дверь скрипела, когда люди входили-выходили.

— Вот, здесь я и живу.

— Ты ж вроде в частном жила? Переехали? — Турка поглядел на ржавую табличку. Букву «М» нарочно замазали чем-то черным и получился не совсем «Мебельный пер».

Снова в голове Турки зашевелились разные гнусные мыслишки. Прямо наваждение какое-то с этой Коновой.

— Ага. То дом отца был.

Турка постоял немного в надежде, что Лена его пригласит. Он видел в печальных глазах Коновой что-то такое светлое, и этот огонек манил его. Всякие скабрезности насчет Лены уже не лезли в голову, Турка просто хотел подольше побыть с ней. Сквозь дымку печали во взгляде девушки проглядывала усталость, как будто ей не пятнадцать лет, а все сорок, и хотелось растворить эту печаль или вытянуть наружу.

Тихий переулок, и лишь деревья шелестят, переговариваются меж собой.

— Ну что, я пойду? — сказал Турка.

Конова засмеялась в очередной раз (какой же у нее чудесный смех!) и слегка пожала протянутую ладонь. Турка восхитился нежной коже, а щеки у него уже болели от бесконечных улыбок.

— И зайти не хочешь? — склонила она голову, улыбаясь.

— Зайти?

— Ну. Попьем воды хотя бы. Или чаю хочешь?

— А можно,— кивнул Турка, не веря своему счастью.

Он сейчас зайдет в квартиру Ленки. Немыслимо!

— Пошли тогда.

Девушка увлекла его за собой; так, наверно, бездомный щенок бежит за прохожим. Как удачно вышел на пробежку! Видимо, это судьба. Ведь если бы не пошел бегать, то, может быть, и вовсе не собрался бы подойти там, телефон попросить или назначить свидание. Мало ли что может произойти завтра.

Лена выглядела гораздо привлекательнее, чем в школе, и никого не было поблизости, никто не будет перешептываться за спиной или прерывать разговор глупыми шутками.

Да и вообще в школе все совсем другие.

А что было бы, встреть он здесь Марию Владимировну?

«Это, пожалуй, из разряда фантастики,— подумал Турка.— И вряд ли бы она пригласила меня к себе домой. Есть ли у нее муж? Парень-то уж точно имеется. Как часто они с ним *это самое*, интересно было бы знать!»

— Хочешь, угадаю, о чем ты думаешь? — сказала Конова. Турка вздрогнул. Они поднимались по загаженной лестнице. В воздухе витал неприятный запах — ссанина, курево и бедность, что ли. Ремонта дом не видел с самого момента постройки.

— Ну-ка.

— «В какой бомжатне она живет!»

Оба засмеялись. Смех отражался от серых стен, с которых пузырями отходила штукатурка. Тут и там непристойные надписи, матюки, жирно нарисованные маркером гениталии.

— Почти угадала,— сказал Турка.

— Зато я на последнем этаже живу. На пятом то есть. Над нами никого, а квартира под нашей пустует. На самом деле тут люди тихие, никаких уголовников. Выпивают, конечно. Ну, а кто сейчас не бухает?

— Я вот, например,— сказал Турка, а Ленка фыркнула.— А чо, решил бросить, говорю же. Ну не сразу, а постепенно. Может, только теперь на Новый год там выпью шампанского, и все. Получится, как думаешь?

— Бросить он решил... Смешной ты. Получится,— в пальчиках девушки как по мановению волшебной палочки появился ключ.— Главное — желание!

Она открыла дверь, и Турка переступил порог. Лена скинула курточку, чуть запнулась, снимая кроссовки. Турка поддержал ее, пальцы случайно скользнули к голому участку кожи — под курткой была на самом деле безрукавка, розовая. Подушечки пальцев Турки прикоснулись к едва-едва успевшей вылезти щетинке под мышкой. Почему-то от этого стало приятно.

Более того: к паху ощутимо прилила кровь.

— Спасибо. Я еще после бега не отошла! — Конова даже не заметила ничего.

Или сделала вид.

— Ага.

Турка скинул кеды. Сразу подумал о носках. Прийти в гости к девушке и обнаружить на большом пальце и на пятке дыру — унизительная штука.

Слава Богу, целые. Правда, тут же завоняли.

— Ты это... Носки пахнут, короче. Не обессудь — бегали же.

— Да не парься. Ты проходи на кухню. Я сейчас быстренько душ приму, ладно?

— Ага,— кивнул Турка. Лена держалась совершенно свободно, а Турка чувствовал себя не в своей тарелке. Конова ему нравится, но какая там любовь — странно все как-то.

Вот, моется уже, полоска света выглядывает из-под двери, и слышен плеск воды.

Турка глянул в зеркало и поморщился. Оно отразило какого-то нелепого придурка с вытянутым лицом и всклокоченными глазами. «А какой длинный нос!»,— подумал Турка, медленно стягивая ветровку.

Он пристроил куртку на вешалке, прошелся по коридору. Воздух в квартире чистый, витают ароматы мяты, кардамона и шоколада. Женский дух.

Турка шагнул на цыпочках мимо ванной, на кухню. Щелчка щеколды он не слышал. Вполне возможно, что дверь открыта. Тогда, наверно, Конова его проверяет, порядочный он или извращенец.

Иначе почему забыла закрыться?

«А может, *она хочет? Зачем бы ей еще приглашать меня?*»

Турка тут же отмахнулся от мысли, как от назойливой мухи. Он и впрямь маньяк, раз постоянно думает о сексе. «Спермотоксикоз», как ляпнула раз Анка, отчитывая Вола.

Вот бы хоть одним глазком заглянуть в ванную и увидеть, как Лена принимает душ. Как стекает мыльная вода и пена по груди, как кожа порозовела от жара. Возможно, Турка зайдет в ванную и...

— Ты чего тут застыл? — лукаво спросила Лена.— Подглядывать вздумал?..

И пальчиком погрозила. Из одежды на ней было только огромное банное полотенце, тщательно подоткнутое над грудью, а мокрые пряди волос обрамляли щеки.

— Не, ты чо! Я это, так... Блин, красивая ты! — вырвалось у Турки, и он почувствовал, как щеки заливает краска.

Лена усмехнулась, прикрыв рот ладонью:

— Лучше комплимента еще не слышала. Ладно, сейчас, надену что-нибудь. Только не подглядывай, правда!

Турка протолкнул по пересохшему горлу комок. Каков придурок! А если бы взял и зашел в ванную?! Да Конова дала бы ему пощечину и выгнала бы.

Хотя она ведь заигрывает. И разве не было в ее голосе некоторой толики сожаления?

— Нет, не было,— пробормотал Турка.

— С кем ты там?..— Лена переоделась в короткие шортики и длинную футболку, почти как платье.

— Так... Чай пить будем?

— Будем,— кивнула она.

Быстро вскипятили чайник на газовой плите. Лена достала две кружки: одну с котятами, а вторую с синей собакой. Турка вспомнил того пса, со стоянки. Давно пора его усыпить, только отпугивает физкультурников.

Лена бросила на дно кружек несколько сухих листиков:

— Любишь зеленый?

— Обожаю! — сказал Турка, и Лена хихикнула. Зеленый чай Турка пробовал, конечно. Собственно, когда мама покупала разные сорта чаев и спрашивала, какой ему нравится больше — «Бабочка» или «Драконий глаз»,— пацан лишь пожимал плечами.

Никакой разницы во вкусе он не замечал. Отец так и вовсе не пил зеленый. «Горький как полынь, чего в нем хорошего?»,— говорил он.

Кипяток жадно набросился на стенки кружек, закружились чаинки, к потолку взмыли завитки пара.

— Я вообще без сахара пью. А тебе сколько ложек?

— Я тоже без сахара,— слукавил Турка. Вообще-то он клал две-три ложки.

— Точно? Ну смотри, сахарница стоит. Если будет невкусно, так ты не стесняйся. Ой, как хорошо побегали! У меня мышцы так приятно вибрируют, чуть покалывают,— Лена грациозно опустилась на табуретку, наклонилась над кружкой и сделала небольшой глоток: — Ух, горячий. Ты чего не пьешь?

— Обжечься боюсь,— Турка потер затылок. Там появилась пульсирующая боль, будто изнутри черепа в него что-то тыкало.— Слушай, ты одна, что ли, живешь?

— Почему одна? Тетя на работе. Скорее бы уже школа закончилась, да? Ты тоже после девятого уходишь?

— Канеш, ухожу!

— И куда? Я вот еще не придумала. Вообще никаких идей. Но из школы свалю, это уж точно. Как она меня достала!

— А я, может, в электротехнический техникум пойду. Или еще куда-нибудь. Или при ДГТУ колледж, слышала? Только там вроде как платно. Но зато гарантированно поступаешь потом в универ на короткую программу.

— И зачем? Ты что, всю жизнь собрался учиться?

— Да вообще-то нет,— пожал плечами Турка.— Сам не знаю. Но ведь надо получить диплом же, а то кем потом работать?

Он попробовал отпить чай и обжег губы.

— Как ты его пьешь?

— Привыкла, наверное. Как необычно! Сидим тут с тобой, вдвоем... Раньше только в школе и виделись. Знаешь, потом все разбегутся и никогда больше не встретятся. Разве только те, кто близко живет. А я как раз и не хотела бы никого видеть, ну, может, только через десять лет... посмотрела бы на наших красоток, кто чего добьется. Замуж все повыскакивают, детей нарожают. А я семью не хочу. Вообще ничего не хочу, только бы меня в покое оставили и перестали учить.

— Понятно,— хлюпнул чаем Турка.— Так ты будешь приходить туда? На стадион?

— Буду, наверное. Пока не надоест. Мне быстро все надоедает.

Турка радовался, что чай остывает так медленно. Что будет, когда они допьют? Можно, конечно, попросить еще. Но это неприлично, наверное. Значит, придется валить. И как намекнуть Лене, что она ему небезразлична? С каждой ее репликой, с каждым жестом Турка все больше и больше проникался Ленкой. Как было бы круто — встречаться с ней. Приходить сюда каждый день, вместе бегать на стадионе, пить чай... ну и не только, само собой.

— У тебя девушка есть?

— Что? — Турка вздрогнул и толкнул кружку. Бледная жидкость выплеснулась на клеенку.

— Сиди, я вытру. Так что — гуляешь сейчас с кем-нибудь?

— Не-а,— протянул Турка и быстро добавил: — Подружки есть, понятно. Но так чтобы отношения, любовь-морковь — этого нет.

— Любил вообще когда-нибудь? — Лена подтерла лужицу, подняла кружку и промокнула дно тряпочкой.

— Не знаю. В первом-втором классе мне нравилась Кондратьева.

— Щенячья любовь.

— Сегодня что-то слишком много собак,— заметил Турка. Лена какое-то время хлопала ресницами, а потом снова засмеялась этим своим грудным смехом.

— Я себе еще налью. После бега всегда пить охота.

— Да меня самого сушняки замучили,— пожаловался Турка и, заразившись от Коновой беспечностью и чем-то таким летучим, невесомым, спросил: — А ты? Встречаешься с кем?

— Ага. У меня есть парень.

Так просто сказала. И какую бурю чувств и эмоций могут вызвать всего четыре слова! «У меня есть парень» — эта фраза сбивает кегли надежд и чаяний, как шар для боулинга.

Турка поперхнулся и закашлялся. Лена перегнулась через стол и похлопала его по спине. Вырез майки и груди в нем очутились прямо перед глазами Турки. Он успел понять, что лифчика на девушке нет.

— И... Где он учится, парень?

— В армию забрали три месяца назад,— Лена села и поерзала на табуретке.— Да он и сам хотел уйти в начале лета. Тогда, говорит, и вернусь тоже в июне. Сейчас ведь на полтора года забирают, знал? Приколи, как раньше девчонки ждали парней из армии?

«Да кто там ждал»,— хотел в сердцах буркнуть Турка. Но сдержался и сделал пару мелких глотков. Если он сейчас ляпнет что-нибудь эдакое, то Конова может и обидеться, и тогда уже плакали его надежды и чаяния. Ему старшие пацаны рассказывали, что даже раньше редко какие девчонки дожидались из армии парней, а уж сейчас и подавно.

А бывают и обратные случаи: девка писала пацану на протяжении всей службы, а он дембельнулся и пошел по шлюхам, забухал. Армия способна из любого выветрить былые чувства.

Некоторые женятся перед армией на девственнице. Чтоб потом прийти и *проверить*. Этот способ Турка одобрял.

— И как вы с ним? Долго встречаетесь?

— Больше года. Письма ему буду писать. Под Кировом служит, в Сибири, считай. Там летом самая жара — двадцать пять градусов. Больше не бывает. Слушай, я такая дура! Сгущенки-то тебе забыла предложить! — Лена подхватилась и рванула дверцу холодильника.

— Да ладно, не надо, чо,— отозвался Турка. Но перед ним уже оказалась початая, неровно вскрытая банка с голубой этикеткой и буренкой.— Ложку бери! Угощайся.

— Блин, ну я этого все равно не понимаю. И чего ждать-то? Потом опять сойдетесь, да? Любишь ты его?

— Сама даже не знаю. Просто хочу дождаться. Знаешь, ты мне нравился... Ну тогда еще.

У Турки перехватило дыхание, и он услышал собственный голос, как со стороны:

— Правда? Лен, а я никогда не верил тому, что про тебя болтали в школе.

— А что про меня болтали?

— Ну так, ничего такого,— замялся Турка.— Ну, про Флориду там...

Девушка звонко расхохоталась. Турке этот смех показался немного ненатуральным, как будто Конова им что-то маскировала.

— Кстати, хочешь, открою один маленький секрет?

Турка потянул вверх ложку с молочно-желтой субстанцией, отправил в рот толику сгущенки. И чего это Ленку на откровения потянуло? Видно, некому излить душу. Да что она знает в жизни? Тетка, отец... Интересно, где папаша-то? Неужели они разорвали с ним все отношения? А мама, она и вправду умерла?..

— Меня на самом деле зовут Алена. Уж не знаю почему, но вот в школе называют Леной. Да мне и самой так больше нравится. А то отец все время сестрицей Аленушкой дразнил... Дурацкая сказка.

— У-у, крутой секрет... Так ты Алена? Аленка, Аленушка... Красивое же имя!

— Мне не нравится,— отрезала Конова. Турка отпил немного чая. Совсем других он ждал откровений.— Так что ты про меня слышал? Небось, и узнать хочешь, как было дело? Интересно тебе, да?

Турка поперхнулся, глядя на Конову поверх чашки. Куда девалась жемчужная улыбка и милый сердцу прищур? Теперь Лена побледнела, и к грусти на дне зрачков примешалась еще и злоба.

— Думаешь, не знаю, чего тебе хочется? Вам, мужикам, только этого и надо! Сидишь и думаешь:

«Чего она поит меня этим дрянным чаем? Лучше бы в спальню повела уже!» Верно? Об этом ты думаешь? Вы все *только об этом* и думаете!

— Ты чего, Лен?

— Ничего! Козел! — Конова выбежала из кухни, оставив Турку сидеть с недоуменным видом.

«Истеричка»,— подумал он. Наверное, родственники довели до такого состояния. Кроме того, никто ведь не отменял истории с дядей или с кем там. Что ж, теперь придется идти домой, и никаких тебе больше *пробежек.*

«Да и ну ее к черту, психованную! Мало ли телок!»

ГЛАВА 7

ПОДЛОСТЬ

Турка допил чай, встал. Поставил банку с остатками сгущенки в холодильник. Там толком ничего и не было — на полках пара кастрюль, два пакета молока, на дверце — смятая упаковка «Махеева» и бутылка масла «Золотая семечка». Турка захлопнул дверцу, постоял немного.

И что теперь?

В коридоре тишина. Зал пустой, по ковру разбросаны футболки, носки. Турка вновь отразился в зеркале, проходя мимо шкафа-стенки. Посуды внутри полно, бокалов, рюмок, сервиз еще. У дальней стенки небольшой книжный шкафчик и комод с выставленным напоказ содержимым.

Лена всхлипывала в соседней комнатке, опустив голову на стол.

— Лен? Ну, ты чего? Прости меня, если обидел.

— Ничего, все нормально. Уходи.

— Ты ж мне это самое... — Турка покраснел, не в силах говорить дальше. Вот и пацаны говаривали, что девчонке ни в коем случае нельзя признаваться в любви до секса.— Нравишься!

— Че? — Конова подняла голову. По распухшим красным щекам стекали неровные дорожки. Глаза превратились в небольшие бездонные озерца.— Уходи.

— Нет, правда!

— Вали. Не желаю ничего больше слышать!

— Лен, ну ведь я, правда, нормальный! Ты судишь...

— Не будет у меня больше парней. Потому что мне не нужно это. Я не люблю е...ся! — выкрикнула девушка.— Как вы все мне надоели, уроды! Вали!

Турка шмыгнул носом. Наверное, надо было подойти и обнять Ленку сзади, но он не решился. Так и стоял в дверях, глядя на трясущиеся плечи, вздрагивающую под футболкой спину и тоненькую изящную шейку.

А после тихонько ушел.

* * *

По дороге заглянул к Вовке. Вышла мать в халате и сказала, что того нет дома. Ушел гулять, а куда — она не знает.

— Обещал хлеба купить, вот ждем-пождем,— словоохотливо пояснила она.

Турка кивнул и побрел дальше. Из-под ворот Во-
вкиных соседей, Сомовых, снова вылез облезлый
пес с торчащими ребрами. На Турку он внимания не
обратил, поплелся куда-то в поисках отбросов.

— Убью! — раздалось впереди Турки. Впереди
крутил педали огромного велика «Украина» полу-
лысый тип — Бэтман. От него с хохотом убегали
двое мелких пацанов. У одного в руках была палка, а
второй бросал в преследователя коричневые каштаны.— УБЬЮ УАС!

— Пошел в жопу! — пищали в ответ мальíе. Турка шел по тротуару, наблюдая. Когда-то и он тоже
дразнил Бэтмана. Фиг знает, кто придумал эту клич-
ку. Собственно, она не очень-то подходит дебилу с
безвольным, как у рыбы, ртом и глазами-щелочками. Низкий лоб, приплюснутый череп, чахлая расти-
тельность на щеках и подбородке, прыщи — все это
добавляло мерзости облику шизика.

При чем тут супергерой?

— Эй, Бэтман! — прокричал Турка.— Ты чего за
мальíми гоняешься?

— Оаааа-ауоуээ, йа ну-э-э Бэ-йман! — промычал
в ответ тот. В этот момент ему в затылок врезался
каштан — только не голый, а в зеленой шипастой
кожуре. Зеленые «скорлупки» разлетелись в разные
стороны, а Бэтман взвыл и стал растирать затылок.—
Су-у-уке! Пиайяа-ы-ыы!

Мальíе покатывались со смеху. Турка видел их тут
много раз, но не знал, как кого зовут. Раньше они с
Шулей тоже прикалывались над больным. Один раз
вставили палку в колесо «Украины», и дебил полетел
через руль кувырком. Тогда Турка еще испугался.

Бэтман долго лежал, не подавая признаков жизни
Начали подходить к нему потихоньку, проверить, н
умер ли.

А он как взвоет, как заорет!

Вскочил на ноги, а они вот так же побежали что
есть духу, хохоча на ходу и задыхаясь. Природа об
делила Бэтмана умом, зато, будто в компенсацию
расщедрилась на тело. Сил дебилу не занимать. Не
сколько раз он прикладывал не успевшим от нег
убежать пацанам в челюсть или в спину, и бедняг
отлетали, как от стенобитного орудия.

В школу Бэтман, естественно, никогда не ходил
И лысеть начал рано. Сейчас ему что-то около два
дцати пяти лет, хотя на вид можно было дать все со
рок. Много раз Турка сталкивался с ним в магазине
Бэтман покупал там «чупа-чупсы», газировку за во
семь рублей, мороженое или там хлеб. Обидчика о
не узнавал.

— Э! Хватит, не трогайте его,— внезапно вырва
лось у Турки.— Чего он вам сделал?

— Да ничего. Мы и не трогаем! — ответил оди
малой.

— Мы так... Каштаны кидаем — а он тут катает
ся! — поддакнул второй, в потертой красной кепке

— А я вам говорю — валите отсюда! — прорыча.
Турка, внезапно зверея.— Придурки вонючие!

Малые отошли на безопасное расстояние, пере
шептываясь. Потом тот, более дерзкий, все-таки
метнул еще один каштан и попал Бэтману в спину
Тот снова завыл и заскрежетал зубами. Попытал
оседлать велик, но подошва рваного кроссовка ни
как не попадала на педаль.

ГЛАВА 7. ПОДЛОСТЬ

Пацанва бросилась наутек, гнусно хохоча и улю-люкая.

Турка подошел к Бэтману. Ему вдруг показалось, что все вокруг лишь призрачный сон, сквозь пелену которого школа тянет свои щупальца. Везде она, школа.

— Привет. Больно, да?

— Оуоауу, аа! — отозвался Бэтман.

— Ничего, нормально. Ты за ними не гоняйся. Они ж только этого и ждут.— Больной продолжал мычать, но теперь уже не рвался в погоню. Малые скрылись где-то у дальнего перекрестка.— Ты домой иди лучше.

— Ктатса! Ктатса!

— Ну так катайся возле дома,— Турке вдруг стало не по себе от взгляда Бэтмана. Где-то внутри этой нелепой оболочки сидит настоящий, абсолютно нормальный человек. В его несуразной, угловатой башке просто не хватает нужных шестеренок, а так бы Бэтман был обычным пареньком, может, даже в футбол бы играл.

Турка вспомнил про Конову. Развернулся, чтоб уйти, но внезапно Бэтман ткнул его в плечо. Турка вздрогнул и оглянулся:

— Ты чего?

— Уу-г. Ууу-г,— мычал больной.

А затем пожал Турке ладонь.

* * *

Уже по дороге Турка наткнулся на Касю. Он не сразу понял, что за пацан перед ним и чего хочет.

Моргнул, отгоняя непонятные видения и думы, до
селе не свойственные ему, и поздоровался. Ладонь
как будто до сих пор хранила тепло рукопожатия
Бэтмана, а совесть изнутри покалывала грудь мелки
ми иголочками.

— Здоров,— сказал Кася, пришепетывая. Никог
да они особенной дружбы с Туркой не водили, но и
врагами не были. Кася — это так, мелкая сошка в
банде Тузова.

— Привет.

— Курить есть?

— Нету,— кашлянул Турка. Выпученные, лупо
ватые глаза Каси его всегда раздражали. А еще это
вечно влажный рот...

— Прикольно на уроке было, да? — лыбился
Кася.— Хы-гы! Презиками закидали! Это ж я в ап
теке купил!

— И продали тебе? Не спросили зачем?

— Нет,— снова загыгыкал Кася,— только баба
эта поглядела на меня так,— он скосил глаза и по
дурацки выгнул шею.— Зачем, говорит, тебе три
пачки? А я,— Кася втянул внутрь ноздри выглянув
шую соплю,— говорю, надо мол, предохраняться, за
раза кругом! На всякий случай, говорю! Хы-гы!

— Красавчик.

— Серый седня твоего приятеля Вована отмудо
хал. Прилично так, за стул, типа. Мы уже расходи
лись, ну под домом шизанутой бабки стояли. А ту
смотрим, он идет. Ну я говорю им, «э, да оставьт
его», да только кто послушает?

— Сильно били? — Турка весь встрепенулся, будто
услышал звон будильника. По жилам побежала разго

ряченная кровь, он готов был накинуться на Касю. Небось глумился вместе со всеми, а сейчас гонит, урод.

— Да так, по мелочи. Ну упал он, ногами добивали. Крыщ на груди прыгнул один раз. Буханкой хлеба в футбольца еще сыграли... А так — нормально. Встал Гнич... то есть Вован, и домой пошел.

— И домой пошел,— Турка сжал кулаки и сплюнул в сторону.— Понятно.

— А эту курву тоже на место поставим, Туз сказал. Ишь, возомнила о себе! — прошепелявил Кася.— Туз сказал, он ее на колени поставит. Слышь, как думаешь, хорошо она берет? — Капелька слюны попала на щеку Турке.— Извини,— Кася ухмыльнулся и промокнул губы рукавом толстовки.— Я случайно, извини...

В следующее мгновение он упал на асфальт, кровь хлынула из носу, заливая подбородок.

— Я тоже случайно.— Кася глядел на Турку снизу вверх, и в выпуклых глазах-стекляшках плескался страх.— Извини.

* * *

Домой Турка вернулся в смешанных чувствах. Стыд накатывал от рукопожатия Бэтмана.

Ла-адно. Турка хотя бы понял, что был неправ. А два мальца, они разве изменятся? Вряд ли. Так и будут продолжать измываться над несчастным, и, скорее всего, забавы их с возрастом только ужесточатся.

Он думал о Вовке. Сволочи, подстерегли одного. Шакалы... И Касе зря врезал, опять не сдержался. Хотя давно хотел это сделать. Слизняк вонючий!

Лена, оказывается, та еще сумасшедшая. Неужели все так и есть, как рассказывала Воскобойникова? Что Конову изнасиловал родной отец? Да разве такое возможно? И что случилось потом?

Хотя после сегодняшней встречи Турка почти был уверен, что так оно и было. Только вот в историю с ножом он поверить так и не мог, не могла Ленка воткнуть насильнику нож в пах.

Или могла.

Он лежал на диване и глядел в потолок с трещинами. «Так бы пошел в гости и вернулся недееспособным»,— подумал Турка, и наружу прорвался нервный смешок.

За окном шуршал уже более серьезный дождик, стихия бомбардировала шиферную крышу сарайчика, ветер трепал листья абрикоса. Из кухни неслись многообещающие запахи: мама решила приготовить блинчики, еще и меда банку купила. Турка пару раз вдохнул ароматы — слюнки так и бегут.

— Артур! Кушать иди, чайник закипел.

Турка скрипнул диваном и потянулся. Уроки еще не делал, да и что там вообще задали на завтра? Даже расписания он не знал. Надо позвонить Вовке. Впрочем, тому вряд ли есть дело до занятий.

— Ты не заболел? — мама приложила ко лбу сына холодную ладонь.— Так... Температуры вроде нет.

— Не, нормально,— Турка уселся за стол, а отец оторвался от газеты:

— Как у тебя в школе дела? Учеба нормально идет?

— Ага. Хорошо все.

— Тренировался сегодня?

— На физ-ре в футбол немного поиграли. Еще на «Труд» сходил, побегали там с Ленкой Коновой.

Родители ничего про Лену не знали. Мама Турки говорила, что слухи ее нисколечко не интересуют, а отца волнуют лишь новости из газеты и телевизора. Сейчас он лишь кивнул и хмыкнул:

— Подружка, стало быть? Вот это хорошо, вот это молодец! Хвалю. Ты занятия не бросай мне, в здоровом теле — здоровый дух. Смотри-ка, проклятые американцы! Везде лезут со своей политикой, уроды. А наши тоже хороши, только в микрофоны мычать и умеют. Что они с Ближним Востоком делают, а? И базы все ближе и ближе к нам свои НАТОвские подтягивают. Новости никто не смотрел? Очередной школьный стрелок, в Колорадо! Елки-моталки, да как они воспитывают своих детей?! А потом такие вот кретины вырастают... Дегенераты! В наших школах почему-то никто не стреляет. Да нормальному человеку и не нужно держать оружие в доме! А у нас снова рассматривают законопроект о легализации мелкокалиберки. Куда это годится, я вас спрашиваю?

— Никуда,— сказал Турка, замазывая крохотные коричневые поры медом. Золотистый, душистый блинчик! Свернул треугольником, откусил и пробубнил: — Очень вкусно, мам!

— Нет, я против. Оружие — это зло. У вас же никто не приходит в школу со взрывчаткой? А этот мало того, что с ружьем, так еще и взрыв устроил. Пятерых госпитализировали!

— А у нас с карбидом в прошлом году приходили. Унитаз взорвали же, помнишь?

— Карбид — дело другое,— проворчал отец, хмурясь. Он снова начал шелестеть страничками, качая головой. Между кустистыми бровями пролегла глубокая складка.— С карбидом мы и сами баловались!

— А петарды эти ваши? А, Миш? — мама уселась за стол и переводила взгляд то на мужа, то на сына.— Давайте на этот Новый год не будем покупать. Это же деньги на ветер, в прямом смысле. Лучше мандарин на эту сумму купить или икры красной.

— Даже не обсуждается,— отмахнулся отец.— Тань, ну как без фейерверков-то? Икру мы и так купим, Марина подгонит.

— А я бы лучше «петардные» деньги к «компьютерной» сумме добавил,— пробубнил Турка с набитым ртом.— Ты ведь сам сказал, па, что к Новому году...

— Посмотрим. До Нового года еще дожить надо, сентябрь месяц только. Цены растут, кризис вот-вот будет. Газеты с ума сходят, по новостям с этим долларом заколебали. В школе-то у тебя как? Оценки?

— Да какие оценки — первая неделя! — Турка запихнул в рот остатки теста с медом и запил чаем.

— Жалко, сметанка закончилась. Не купила — из головы вылетело.

— Так-так... А историю кто у вас ведет? Прежнюю преподавательницу вы же довели до ручки?

— Ну теперь у нас молодая, Мария Владимировна.

— Нравится? Хорошо преподает? — отец не глядел на Турку. Словно ищейка, он выискивал в газете новости, чтоб снова повозмущаться. Турка как-то привык, и ему даже нравилось слушать отца, когда тот читает газету. Иногда папа такие коры мочит! Правда, маме эти разглагольствования не по нраву.

Турка задумался над вопросом отца. Перед глазами встали огромные груди. Еще он вспомнил, как учительница упала на Алика, а тот успел ее помацать. Вот ведь идиот озабоченный. Впечатлений теперь толстяку, наверно, надолго хватит, теперь и видео качать не надо.

— Нормальная. Всего два урока пока провела.

— Ваши там хоть немного образумились? Все-таки выпускной класс.

— Так-сяк,— ответил Турка.— Не знаю.

— И когда ты уже будешь хоть что-то знать? — вздохнула мама. А Турка знай себе намазывал медом блинок, уже четвертый.

— Когда-нибудь буду.

Давно Турка вот так не сидел с родителями. Прямо как в детстве. Он пил горячий чай, откусывал ноздреватое, кружевное тесто, таявшее во рту, и наслаждался уютом.

Однако спустя пару минут наваждение спало. Вспомнилось про презервативы с водой в школе, и почему-то всплыл образ Лариты.

Турка вымыл руки, оторвал небольшую полоску туалетной бумаги и ушел к себе в комнату.

— И чего это он взаперти всегда сидит? — сказала мама. Дверь тонкая, Турке обычно все слышно.

— Такой возраст. Как будто ты не понимаешь! — ответил отец.

— Нет уж, объясни!

— Тань, давай не будем... Дело молодое. Посидит и перестанет. Тебе не угодишь! То шляется по улицам, то вот теперь взаперти сидит. Все время чем-то недовольна.

— Кто бы говорил! — фыркнула мама. Звякнула ложка, что-то упало в раковину.

— Разбила, что ли?

— НЕТ!

Турка вздохнул. Лег на диван, погладил туго набитый живот. Как барабан. Прислушался и запустил руку в треники.

Сразу песня хриплоголосой Pink в голове, «U and Ur hand». Ты и твоя рука.

Представлял Конову с ее чуть приоткрытыми лепестками губ. Вспоминал прикосновение к ее выбритым подмышкам. Вспомнил, как она, сидя в школе, откидывалась назад и распускала стянутые резинкой волосы. Грудь призывно шевелилась под натянувшейся маечкой, а эти сероватые подмышки, похожие на выбритую...

«Может даже у Марии Владимировны там ТАК»,— думал Турка. Он не позволял себе забыться напрочь, слушал — не идет ли кто, не стоит ли под дверью?

Любой истолкует мерные шорохи в правильном ключе.

«Когда купят комп, можно будет у Алика слить видосы...»

Скомканную бумажку Турка положил рядом с собой. Внизу все сладостно трепетало, а перед глазами дрожала разноцветная пелена.

Ты и твоя рука.

ГЛАВА 8
ДУРНЫЕ ПРЕДЧУВСТВИЯ

Вовка в школу не пришел, и Турка немного скучал. Вечером позвонил, но приятель не брал трубку, а на домашний Турка звонить не хотел. Мама Вована и так наверно думает, что все беды сына оттого, что начал водиться с Туркой.

— Показываю,— рычал обжэшник.— Автомат Калашникова. Кто-нибудь владеет приемами сборки-разборки?

Тишина в классе.

— Мы что, моджахеды какие-нибудь? — громко спросил Проханов.— Это они там с трех лет «калаши» собирают.

— «Калаши», Ванечка, знаешь где? В калашном ряду! — рявкнул Василий Иванович. Его называли Чапаем — по понятным причинам. Впрочем, он носил и другие прозвища.— Там и свиных рыл больше, чем у вас здесь. А это — великое оружие! Легкое, я бы даже сказал, *примитивное* в сборке. Научиться разбирать автомат Калашникова может кто угодно — женщины, дети. Даже инвалиды. Такие, например, как ты, Вол,— закончил Чапай, улыбаясь одними губами.

— А чо сразу я?

— Ничо. Едем дальше. Стоп! Вопросы?

— А он настоящий? А мы стрелять будем из него? — загалдели пацаны.

— Будете, конечно, будете! Достигаете восемнадцатилетнего возраста и отправляетесь в военкомат

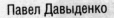

по месту прописки. Там вас определят как надо, форму выдадут... Настреляетесь вдоволь! А то ишь, стрелять они горазды, а от армии косят.

— Ну, Васи-и-илий Ив-а-аны-ыч!

— Для начала нужно понять принцип работы оружия. Ближе к Новому году устроим конкурс. Сборка-разборка на время. Самые лучшие постреляют. Идея понятна?

— Так точно! — отозвался класс хором.

Первым был русский, «библиотекарша» наставила кучу двоек. Не ушел от этой участи и Турка. Во второй половине урока было какое-то дрянное сочинение, на десять предложений. Тема: «Образ человека». Турка долго ломал голову, кого же описать. Сначала хотел Конову, потом передумал. В итоге накалякал чепуху про Вовку: особыми писательскими способностями Турка никогда и не отличался.

Тузов и компания явились к третьему уроку — к математике. Зеленые крылья доски были закрыты и измазаны меловыми отпечатками ладоней.

Дина Алексеевна десять минут рассказывала, насколько ответственное это дело, учиться в выпускном классе и сдавать «ГЭА». Именно так — «ГЭ-А». Десять минут талдычила про сложность самостоятельной работы по многочленам, ну и между делом раздавала половинки листков.

— Все убра-али с па-арт! Ручечки оставили, карандаши, а остальное — в сумочки. Мобильниками пользоваться нельзя. Если вам нужен калькулятор, то приносите маленький, отдельно. Сейчас такие продаются...

Турка сидел вместе с Русаковым. Он немного шарит в матеше. Не так, как Вовка, но все-таки. Авось на тройку получится наскрести.

Дина Алексеевна открыла половинки доски. Пять заданий, многочлены эти. Шестое со звездочкой — задача.

— Ой, много-то как, Дин Алексеевна!

— Последнее задание — на дополнительную пятерку!

— Все равно много! — завозмущались одни.

— Да заткнитесь! — заорали другие.— Время идет!

— Решаем, ребята,— подвела черту Дина Алексеевна.— У вас двадцать минут. На переменке можно задержаться.

— Спасибо! — выкрикнул Проханов.

В итоге Турка совместными с Петей усилиями решил три с половиной задания. Хоть бы не двойка! Раньше он такого чувства и вовсе не знал. Плевать, какие оценки, лишь бы побольше веселья, разогнать эту ежедневную монотонную скуку, разбавить бытие свежими, яркими красками.

Сейчас внутри будто появилась тонкая гитарная струна. И никак не хочет согреваться, постоянно ледяная. Хотя из-за оценок ли?

После матеши — технология. Под руководством Георгия Станиславовича сначала долго чертили какую-то фигню, а потом пытались выточить напильниками и выпилить лобзиками детали. В итоге только у Березина и близнецов Водовозовых получились заготовки для парусников. У остальных — какие-то обрубки с зазубринами.

— Это не пригодится в жизни! — возмущался Проханов.— Вот зачем мне вытачивать парусник? Это вообще программа третьего класса!

— И ты даже с ней не можешь справиться, щ-щегол! — укорял Ваньку трудовик. Он ходил по мастерской, икая, и чуть покачивался.

Очевидно, они с обэжэшником уже успели накатить по маленькой. От трудовика почти всегда несет перегаром, смешанным с терпким запахом табака и мятного «Орбита».

— Нафиг надо!

— Руки из жопы у вас! «Нафиг надо»! Кран дома понадобится закрутить, прокладку поменять — что ты будешь делать?

— Вызову сантехника,— с достоинством ответил Проханов. Остальные молчали, Турка разглядывал исцарапанную парту. В глубокой трещине видны многолетние наслоения краски: коричневый, салатный, бежевый, коричневый, салатный, снова коричневый. Нарисована целая куча вагонов — ручкой, маркером, белой замазкой — «Если ты не голубой, дорисуй вагон другой». Рядом, маркером: «Челбин — чмо» и прочие послания в том же духе.

— Он вызовет сантехника... — всплеснул руками трудовик.— Белоручка!

Был он безобидным мужичком в общем-то. Кто-то рассказывал, что его один раз застали за дрочкой в кабинете. Кто знает, может, правда. Его не так чтобы сильно уважали, но и в бутылку не лезли, потому как авторитетов для дяди Жоры не существовало. Мог дать леща, а если огрызнешься — так схлопочешь по самое не балуй.

Хотя, конечно, до Чапая ему далеко. Тот вроде как палил холостыми патронами по особо отъявленным хулиганам. Вроде как те задирали его, смеялись, бумажки бросали. Чапай их несколько раз предупредил, а потом молча взял тот самый «калаш» и, нацелив дуло в грудь Мультику (лет семь назад отморозок был грозой школы, почище Тузова, Крыща и Шули, вместе взятых) и прошил негодяя очередью холостых патронов. Тот от страха обоссался и обделался одновременно. А Чапай выволок его в коридор.

Закончился урок, а вместе с ним и царствование Мультика.

— Да я буду зарабатывать нормально. Зачем мне возиться с какашками? Ай! Отпусти!

— Не отпусти! Не отпусти! — проревел дядя Жора, выкручивая Ване ухо. Лицо Проханова исказила гримаса боли: — Ты как с учителем разговариваешь, наглец?!

— Отпустите! Больно!

— Больно — и поделом. Ишь ты, выискался умный какой! Ты сначала заработай, а потом языком мели.

На большой перемене знаменательное событие. Пацаны затащили Муравья в раздевалку, затолкали головой в «очко», и Вол смыл воду.

Новость быстро расползлась по школе. Муравей пообещал «убить их всех», но эта угроза, по мнению Турки, была равноценна «бэтманской». Тем более что Муравей с Бэтманом не разлей вода.

Последняя матеша, вместе с объяснениями Дины Алексеевны, прошла мимо Турки.

* * *

После кучи отжиманий на брусьях и подтягиваний на перекладине Турка пошел на «Труд». Авось Конова придет бегать.

Турка шел и вспоминал. На большой перемене к нему подошла Рита Хазова. Губы закусывает, глазки так и бегают.

— Хотела тут с тобой поговорить.

— Ты чего? — усмехнулся Турка, чувствуя, как трепыхнулось сердце в груди. С Ритой он никогда особо не общался. Так, пару раз списывал, когда-то давно, классе во втором, провожали ее и других девок до дому, нес портфель.

— Ты... По истории доклад уже приготовил?

— Чего? — нахмурился Турка.— Блин, не томи! Какой нафиг доклад?

— Да не ори ты. Идем к окну.

Пробрались между цветами рекреации. Хазова забралась на батарею, опустила глаза и снова покусала губы.

— Что там с Вовкой?

— А что с ним?

— Почему они его все время... бьют?

— Так уж. Почему они прикалываются над Муравьем?

— Муравей — чмо,— припечатала она, чуть поморщившись.— Слушай, а вдруг из-за тебя?

— Чего?!

— Ну, ты ж общался раньше с ними? А теперь чего?

— Рит,— вздохнул Турка,— тебе больше всех надо?

— Надо! — прищурилась Хазова.— Ты должен помогать Вове. Поговори со своими дружками.

— Они уже не мои дружки. Ты что, влюбилась в него?

— Пошел ты, влюбилась! — у Риты вспыхнули щеки.— Просто интересно...

— Просто так даже мухи...

— Так, вышли из цветов! Хазова, Давыдов! Вы чего вперлись туда? Еще бы в самые горшки встали!

Так в уравнении возник еще один многочлен. Еще одна неизвестная переменная. Что же, Вовка нравится Хазовой? Вполне возможно, почему нет — всякое бывает.

Но что может сделать Турка? Поговорить с Тузовым? Нет смысла. Собственно, разговор уже состоялся. Тогда, перед дракой. Для них Турка встал приблизительно на одну ступень с Вовкой. А так, остальные ведь тоже под ежедневной угрозой, не к одному же Вовке пристебываются.

Надежды насчет Коновой не оправдались. По ближней к газону дорожке бегал какой-то старик в плотном спортивном костюме. Даже не бегал, а, скорее, ходил, забавно двигая руками.

Турка сходу погнал, перепрыгнув по традиции через заборчик. От проделываемой всем телом работы открещивался думами, мыслями. Про Конову — надо было ее все-таки обнять. Кто знает, вдруг она только этого и хотела. «Тогда почему орала, что секс ее не интересует?»

И про парня начесала. И складно как! Да нет, у таких девок куча поклонников. Вряд ли Ленка исключение. Точнее, Алена. Но последнее имя у Турки ассоциировалось с отцом Коновой, поэтому он тоже чувствовал некое отторжение «Аленушки».

После девятого круга Турка перешел на шаг.

Хватит. Отдышался, смахнул пот. Ноги дрожат, горят легкие, но приятно. Радуешься тому, что можешь просто ходить, и что не нужно бежать, замечаешь все звуки, которые доселе пролетали мимо ушей.

Шелест деревьев, далекие гудки поезда, воронье карканье. И чего только птицы забыли на этом поле?

Мимо Турки, пыхтя и посвистывая, словно древний паровоз, проследовал тот самый дед.

«Во дает! И откуда силы! Покурить бы сейчас», — брел Турка к заднему выходу. Сегодня тот пес не нападал. Может, прихлопнул его кто?

Турка брел по травянистому склону и думал об оружии. А ведь правда, в США что творится! Стреляют. Интересно, затаскивают ли хулиганы лошков в туалет, чтоб надругаться? Скорее всего, да. Иначе по каким причинам те берутся за винтовки, карабины и пистолеты?

И как бы он сам поступил на месте Муравья?

Отомстил бы, это уж точно. Но оружие все равно достать неоткуда. А вообще-то выстрелить он бы не смог, скорее всего. На такое тоже не всякий решится. Поэтому, наверно, одни люди и смывают других в унитаз, образно говоря — закон джунглей. И так во всем мире.

Турка вырулил к Мебельному переулку. Нашел нужный дом, потянул обшарпанную дверь и поднялся на пятый этаж. Ткнул несколько раз звонок — нет ответа.

Может, Лена ушла гулять. В школе ведь ее и сегодня не было. А может, сидит в своей комнате и плачет. Или вскрыла вены в ванной, мало ли.

Тогда Турка стал стучать в филенку кулаком. Долго лупил, пока не распахнулась соседняя дверь, обшитая порезанным дерматином.

— Ну, ты! — выкатил на него рачьи глазки мужик со щетиной.— Долго тарабанить будешь? Вали отсюда! — Пузо туго обтягивала тельняшка с пятнами.— Нету шалавы твоей. На дом вызвали!

— За своей шалавой лучше бы глядел,— огрызнулся Турка.

— Ты чо, малец? — мужик медленно замахнулся.— В бубен дать?

Турка нырнул ему под плечо и ткнул кулаком в затылок. Алкаш пошатнулся. Ноги у него подкосились, и он чуть не свалился с лестницы, но успел схватиться за треснувшую деревяшку перил. Турка отвесил ему пинка, и жирная задница заколыхалась под трениками.

— Я тебя поймаю! Клянусь, поймаю!

— Хрен свой пинцетом поймай! — проорал Турка, сбегая вниз по грязным ступенькам. Алкаш продолжал сыпать матом и угрозами.

— Вот дерьмо,— пробормотал Турка, выскакивая из подъезда. А вдруг к Ленке докопается? Значит, надо караулить ее тут.

Но через полчаса ему наскучило маячить возле дома на Мебельном. Да и район-то уже чужой, по сути. Мало ли на каких пациков здесь можно нарваться. И сам будешь виноват, что ошиваешься не там, где надо.

Турка скрепя сердце ушел от дома на Мебельном переулке и свернул на Ворошиловский проспект. Подождал, пока на светофоре зажжется зеленый человечек, и пересек проезжую часть.

— Ой! Артур! — окликнул кто-то.

Турка закрутил головой. Ему махала какая-то девушка в широких солнечных очках, белой юбке и цветастой шерстяной кофточке — после дождя было хоть и душновато, но сыро. Он неуверенно ткнул себя пальцем в грудь, а девушка подошла ближе, и превратилась...

...в Марию Владимировну.

Турку тут же бросило в жар.

— Здрасте,— выдавил он.— Не узнал вас.

— Богатой буду. Ты куда это? Гуляешь?

— Так, бегал... А вы куда, если не секрет?

— Домой, из парикмахерской. Брови мне щипали — горит, жесть!

Турка не знал, что удивило больше. Сленговые словечки, вид преподавательницы или же встреча в целом. Держалась она по-приятельски. Да и вообще по виду Марии невозможно было бы сказать, что она учитель. Молоденькая девушка, притом весьма симпатичная.

Она чуть приподняла очки, показывая аккуратные бровки.

— Нормально? Нравится?

— Хорошо вроде,— со знанием дела кивнул Турка. Мария Владимировна в ответ расхохоталась.

— Блин, «Б» получше будет. Тоже хулиганы, но не такие, как у вас, в «А». Шуля этот — просто какой-то недоумок! Но это — строго между нами.

— Ага. Недоумок, согласен.

— Проводишь меня? Тут близко,— предложила Мария Владимировна.

Кровь в очередной раз вступила в голову Турке, поддавила изнутри глаза. Он в ответ лишь судорожно кивнул.

Она! Предложила! Ему! Проводить до дома!

«Чудеса в решете,— подумал Турка.— И как близко от Коновой живет!»

— Ты спортсмен, стало быть?

— Так, бегаю. В футбол играю, но в секции не занимался никогда.

— Самое главное — это образование... Хотя давай про учебу не будем! А то у меня одна и та же пластинка включается.

Турка кивнул. Только о чем говорить с учительницей? И вообще, разговором на какую тему занять девушку?

— А вы читать любите, да?

— Ой! Конечно, люблю!

И тут она принялась сыпать названиями, фамилиями. Турка только лишь краснел и мотал головой: «не, не читал». И чувствовал себя ущербным рядом с Марией Владимировной. Отвечал что-то на автомате, поддакивал и угукал, а сам думал про слова Каси, что, мол Тузов поставит ее на колени.

Неужели она, как Конова, пригласит зайти на чашку чая?

А что, ведь бывают же такие случаи!

Прошли темную арку. В таких местах всегда сыро, даже в знойном июле. Очутились в небольшом дворике-колодце, где поджидали хозяев легковушки, а чахлые березки переговаривались с тополями, шелестя листвой.

Детская площадка, покосившиеся, давно не крашенные лесенки, пара турников, отполированная до блеска горка. Песочница, полная собачьих «дел».

Сюда прогресс добираться что-то не очень-то спешит. По всему городу, словно черви после дождя, вылезают новенькие площадки: на пористом резиновом основании зеленого цвета — новехонькие тоннели и лесенки, переплетающиеся меж собой. А здесь все как в девяностых.

Турка обратил внимание на тонированную зеленую «шестерку». Побитая, со сколами и следами кузовных работ: тут и там проглядывают зачищенные болгаркой шрамы металла, отваливаются порыжевшие от времени куски шпатлевки. Бамперов нет, передние боковые стекла без тонировки — забрызганы грязью. Турка уже где-то видел эту машину. Разве не Валек на ней рассекает? Закадычный дружбан Шули?

— Вот, я в первом подъезде живу,— махнула рукой Мария Владимировна.— Спасибо, что проводил. Ты не обижайся, загрузила тебя книжками... Сейчас у тебя не то время, чтоб читать, наверное. Хотя некоторые книги ты просто обязан знать. Да и мозги развиваются, воображение, а вообще-то говорю же, я — сторонник новых методов обучения. Прошли те времена, когда учителя как церберы стояли над школьниками. Те, кто хочет учиться, и так будут это делать, а те, кому на роду написано...

— Давайте пройдем чуть дальше. Будто вы в последнем подъезде живете, например.

— Зачем? Прикалываешься, Давыдов?

Сейчас Турка вспомнил про Хазову. «Новые методы обучения!» Каким наивным может быть взрослый человек.

После того как они с Ритой «вышли из цветов», она прошлась как раз насчет преподавателя истории. Мол, уже вся школа обсуждает ее наряды, а взяли Марию Владимировну на работу только благодаря знакомству с завучем.

— Нет. Давайте зайдем в последний подъезд. В дальний.

Не отвечая на вопросы, Турка потащил за собой учительницу. Он кожей чувствовал на себе взгляды, пронзающие изнутри тонированные стекла «шестерки», как скользкие щупальца, с многочисленными присосками.

Придатки школы.

Металлическая дверь подъезда закрылась со щелчком, поднялась пыль, и Мария Владимировна звонко чихнула.

— И что теперь? Кого ты там увидел?

— Уроды, в «шестерке». Не хочу, чтоб они знали, где вы живете.

— Почему? Пусть знают, если интересно. Думаешь, я боюсь угроз? У них духу не хватит воплотить их в жизнь, дальше болтовни они не пойдут. Тебя ведь не задевает блеяние овец или там мычание коров? Вот примерно так же я и отношусь к их словам.

— Но вас ведь раздражает собачий лай? — после паузы спросил Турка.— Собаки редко гавкают просто так. А у них там волчья стая.

— Ты посмотри на него, а...

— Давайте поднимемся на пролет. Посмотрим, не уехали...

— С чего ты взял, что они тут меня поджидали? — В полумраке Турка видел, как трепещут учительские ресницы. Вместо ответа, он взбежал по ступенькам и поглядел в окно. Тоже слой пыли, чуть ли не в толщину стекла, мутные разводы. «Шестерка» медленно выкатывалась со двора, пуская сизо-синие выхлопы.

— Видите? Уехали сразу. В следующий раз они будут поджидать в подъезде.

— Их право,— ответила Мария Владимировна после паузы. Тон у нее чуть изменился.— Ладно, пойдем.

На чай Мария Владимировна Турку не пригласила, сослалась на то, что к ней должен кто-то прийти. И поцелуем, само собой, ученика не одарила. Попрощалась и, посмеиваясь, закрыла дверь на цепочку — по наказу Турки.

А ему было совсем не до смеха. Не верил он в совпадения. Неужели Шуля и впрямь затеял что-то эдакое? Иначе зачем ему с дружками понадобился адрес Марии Владимировны?

Турка сам не заметил, как добрался до Окраинной улицы. Постучал в окно Вовке — звонок давно уже не работал. Из соседнего двора неслось хриплое рычание пополам с детским хихиканьем. Что-то изнутри ударило в ворота, «БДУМ!», и пес залаял еще громче.

— Эй! Я тебе сейчас зад надеру,— послышался мужской голос.— Хватит кирпичи швырять! Тебе говорят, олух. Подошел сюда, Миша. Живо!

Калитка протяжно заскрипела петлями. На улицу выскользнул чумазый пацан, тот самый, который кидал каштаны в Бэтмана.

— Вернись! Потом хуже будет.

— А пошел ты,— негромко, чтоб отец не услышал, бормотнул пацан и смахнул с носа капельку. От этого грязных разводов на его рожице только прибавилось. На голове у него сидела та же самая красная кепка — с пупочкой в центре и крохотными обшитыми дырочками вокруг нее. Малой прикрыл калитку и поглядел на Турку. Ничто не дрогнуло в его взгляде, наверное, не узнал. Подошел, протянул черную ладошку:

— Даров. Есть по мелочи?

— Нету. Отвали.— Пожимать протянутую ладонь Турка не стал. Пацан обиженно зашмыгал носом. Неприятная рожа — пацан напоминал бультерьера. Маленькие глазки, похожие на изюм в «Венской» булочке, сдвинуты к вискам, тонкие губы и плоский лоб. Турка снова постучал, а потом услышал пронзительный свист. Повернул голову — малой отошел к самому углу и теперь показывал задницу, спустив штаны.

— ПОЦЕЛУ-УЙ! — проорал он. Потом мерзко захохотал и, подтянув треники, побежал прочь.

— Вот даун,— пробормотал Турка, и тут распахнулась уже Вовкина калитка.

— Здрасте, теть Ир!

— Здрасте. Тебе чего? Вовка не выйдет гулять. И вообще... Хоть бы сказал что своим дружкам, тоже еще — товарищ. Избили его, сволочи. Подонки твои!

— Да почему мои? Я с ними не гуляю...

— Твои-твои. Не гуляет он! Ладно, некогда мне.— Она с лязгом захлопнула калитку. Спустя мгновение в замочной скважине два раза лязгнул ключ. Турка постоял немного, слушая отдаляющиеся шаркающие шаги. Почесал в затылке и вздохнул.

Вовка нагнал его на том самом углу, там, где малой показывал зад.

— Привет. Я вырвался все-таки.

— Ё-моё... — протянул Турка, вглядываясь в лицо Вовки.— Сукины дети!

— Ничего. Уже не болит почти,— шмыгнул носом Вован. Один глаз у него распух и походил на треснувшую гнилую сливу, а сквозь веки проглядывал мутный белок с красноватой сеточкой сосудов. На лбу ссадины, щеки в царапинах.

— У тебя прямо глаз Терминатора! Краснющий!

— Хорошо хоть не шоколадный,— отозвался Вова.— Ты чего хотел?

— Да погулять просто. Поговорить,— Турка насупился. Куда девались обычные легкомыслие и веселье товарища? Теперь это хмурый тип, прячущий взгляд под бровями.— У Коновой вчера был. Она и впрямь сумасшедшая!

— И чего вы там делали?..

— Ну побегали с ней на стадионе, а потом зашел на пару палок чая. Шучу. Просто посидели — ничего такого. Она немного заморосила, я и свалил. А сегодня я был — никогда не угадаешь, у кого!

— Ну?

— У исторички. У Марии Владимировны.

— Чешешь! — вскрикнул Вовка, мигом скинув облик обиженного инвалида.

— Был.

— Тоже чай с ней пили? — скривил губы Вова.

— Не-а. Да просто проводил до квартиры. И не зря! Во дворе стояла «шаха» Валька, это Шулин кент. Летом купаться ездили, ну и один раз «Таврию» угнали и сожгли. Я не разглядел, кто там еще был внутри. Козлы... Мы нарочно зашли в другой подъезд, а эти сразу почти стартанули. Выслеживают, вынюхивают, скоты.

— Да ну? Придумал тоже!..

Они вывернули на Пирамидную улицу, побрели вниз — к Нансена. Послышался гудок поезда — переезд совсем близко.

На Пирамидной домишки сплошь одноэтажные, частный сектор. И хибарок предостаточно — с саманными стенами и прогнившей крышей. Идешь, и непонятно, живет ли тут кто-то, или хижина заброшена. Некоторые продают подобные шалаши и уезжают. Домишки сносят, и потом на их месте горделиво высятся особняки зажиточных людей — трехэтажные, с мансардами и черепичными крышами. Некоторые не из кирпича, а выстроенные по «западной технологии»: арматура, пенопласт и штукатурка.

— Не знаю. А еще Касю я встретил... конечно, ему доверять нельзя, но он сказал, что Тузовы всерьез намерены отомстить Марии Владимировне. Типа унижение и все дела.

— Не хочу слышать про них. Унижение! Что они знают про унижение, а? Ничего, узнают... В школе как сегодня?

Турка принялся рассказывать. Начал с ОБЖ, закончил Муравьем. Вова лишь головой покачал, морщась.

— Завтра субботник. Я не пойду, к черту эти веники.

— Анка проверять будет же. Хотя я тоже не пойду. У меня справка будет. А что, Чапай правда повезет нас в тир?

— Турнир по сборке-разборке проведет, а потом поедем, он так сказал. Да я думаю, там все постреляют.

— Постреля-я-ют,— протянул Вова. Взгляд его снова затянулся печальной дымкой, почти как у Коновой. Внезапно она треснула и растаяла, как крупинки сахара в чае.

— Эх, мы все с Интернетом никак не разберемся. Ну, думаю, все-таки подключимся. Пять сотен в месяц, и качай что угодно. Хе-хе, вот уж я разгуляюсь! И это, Артур... ты не обижайся на маму. Она думает, что меня бьют из-за тебя.

— Фиг его, может, так и есть. Ты не обессудь тоже. Кстати — Хазова! О, щас такое расскажу...

Они кружили по переулкам, Турка говорил без умолку. Даже сам себе удивлялся. Никогда еще столько событий не наваливалось одновременно. Хотя веселья каждый день хватало. Но раньше было больше активных действий, чем каких-то тайных намеков, недомолвок и загадок. Поехали туда-то, выжрали столько-то, разбили это, угнали то... А сейчас все сложнее, и, на первый взгляд,— безопаснее.

Так почему же тогда эта треклятая струна беспокойства никак не исчезнет из груди?

— Понятно. Да ну ее к черту, Ритку! Стремная, как по тебе?

— Вдуть можно,— ответил Турка, полез в карман, не нащупал там пачку сигарет и вздохнул.— Тем более сама на шею вешается. Только если привяжется — тут уж держись! Из класса же все-таки.

— А Конова твоя?

— А че — моя? Да у нас с ней и нет ниче, я тебе говорю!

— Они меня подкараулили. Не хотел тогда еще в магазин идти, а мать все наседала. Она же не знает... Ну побили немного, чего уж там. Когда первый пропустишь в лицо, когда кровь течет — то все равно уже, боль уходит. Ха! Да я бы Тузову еще один стул запустил бы в лобешник его! Никогда теперь не забуду.— Вовка насупился.— У меня другой теперь план.

— Какой план? Мести?

— Я понимаю, что мне вряд ли удастся их всех сломить. С детства такой, ну сам знаешь — не люблю стычки. Во мне нет такого звериного чего-то. Или есть, но зверь спит. И вот так просто я не пойду до конца, как они, потому что мне есть что терять, и я не хочу сесть в тюрьму. Это дерьмово — каждый день идти в школу и знать, что там тебя ожидает. Ты боишься, думаешь, как лучше свернуть, каким маршрутом пойти, чтоб не наткнуться на банду. Они ведь там, на углу Городской и Джапаридзе, собираются. Иногда я обхожу за квартал, но иногда иду прямо так, на них. Подзывают, и попробуй не подойди... да ты и сам знаешь.

— Только с изнанки,— сплюнул в сторону Турка. Ему показалось, что день потерял часть своих красок. Темнеть еще не должно, рано, но улицу будто сумрачный саван накрыл.

— Верно. С другой стороны этих, как их... баррикад. Все, чего я хочу,— закончить этот гадюшник и поступить в универ. Там-то уже такого не будет. Иерархии и прочего дерьма.

— Наверно, не будет,— пожал плечами Турка. Слишком сложный разговор для него, раньше он на такие темы и не задумывался. И вообще, интересы были совсем другие. Или же он глушил в себе эти мысли?

— А как же армия, дедовщина?

— Отмазаться можно,— сказал Вовка.— На время учебы будет отсрочка, сто процентов. А потом уже пофиг. Военник пробить сейчас не проблема. Вон Славян, знакомый,— купил за восьмидесятку. А этот, Ванька, приколи, ну толстый — пошел в военкомат. Медкомиссия, туда-сюда. Сделали ему там рентген, прощупали и знаешь, что сказали?

— Ну-ка,— заинтересовался Турка.

— «Где ваша вторая почка? Вам делали операцию?» — захохотал Вовка. Турка в ответ лишь захлопал глазами.— Блин, проясняю для тугих — почка у Вани *одна*. Врожденный дефект. Знаешь, торгуют же органами. Можно продать одну, и ничего не будет, живи себе.

— Подожди. И что с ним? С Ванькой?

— Что, что... В армию с таким не берут, инвалидность будет получать.

Помолчали немного. Вова пнул мятую консервную жестянку.

— Говорят, скоро сократят срок службы. Мне-то в армию придется идти. Отец — патриот. Он служил, и я тоже должен отдать долг Родине. Хотя, знаешь, дал бы мне кто-нибудь восемьдесят тысяч... Я б побежал в эту армию.

— Может, и сократят,— пожал плечами Вова.— Было бы круто. Хотя мне-то все равно пофиг. Ладно, я, наверно, пойду, а то мама будет орать.

— Давай иди. Покеда! — пацаны обменялись рукопожатиями и разошлись по домам.

* * *

Мама была против того, чтоб Турка пропускал субботник. Отец тоже вставил свои пять копеек, но конкретно на чью-либо сторону так и не встал. Сохранял нейтралитет, прикрываясь газетой.

— Ну и не ходи. Отлично! Встал он на путь исправления.

— Я никогда не ходил на эти субботники! — кричал в ответ Турка.— Не обязан я собирать листья!

— Вместо целого дня учебы — пройтись с веником. Трудно?

— Нет! Нафиг!..

В таком ключе разговор продолжался минут двадцать. Потом захлопали двери, и мама махнула рукой. Турка закрылся у себя в комнате. Давно такого не было. Но и на субботники он ходил, наверное, в начальной школе только. Обычно убирают одни и те же люди, болваны вроде Петьки Русакова. Исправление исправлением, но настолько пасть Турка не мог. Мама что-то совсем погнала...

Сейчас ссора подействовала как-то странно. Турка даже захотел извиниться пойти, но почему-то передумал. В груди беспокойный паучок бегал, мерзкий. Предчувствие чего-то дурного.

Насчет Вовы, насчет исторички? Или насчет мамы?

Только сейчас Турка понял, что произошло за эту неделю. Он обрубил большую часть веревочек и канатиков, связывающих его с уличной компанией. И кто теперь у него в друзьях?

Никого.

Что-то скоро будет. Что-то назревает.

С такими мыслями он провел остаток вечера, пялясь в экран телевизора.

ГЛАВА 9
ЮБКА

Мама нарочно чем-то гремела на кухне, чтобы разбудить пораньше. Суббота, и Турка нехотя поехал с отцом на рынок, за продуктами. После, под неумолчное ворчание, помог папе в нехитрых хозяйственных делах.

После погнал на турники и встретил там Лариту. Она сидела на лавочке и сосалась с каким-то пареньком, гуляя ладонью по его бедрам.

— Вы чего тут?

Паренек испуганно дернулся и ойкнул, но Ларита не собиралась так просто отпускать свою жертву.

— Какого хрена ты сюда приперся?!

— Заниматься.

— Ладно, пошли отсюда. Он идиот.

Пухлые щеки пацана залил румянец.

— Постыдилась бы хоть. Растлеваешь парня!

— Иди в жопу! — огрызнулась Ларита. Она одернула короткую юбчонку, и насколько успел разглядеть Турка, трусики на ней отсутствовали.— Занимайся, осел!..

В первом подходе на брусьях Турка сделал аж тридцать пять чистых повторений. Зато в следующих шести подходах темп выдержать не смог, все время думал о всякой чертовне, никак не мог сосредоточиться.

Подтягивания пошли лучше — сделал несколько подходов разными хватами, в том числе за голову, так чтоб перекладина касалась самого основания шеи.

В конце концов Турка сорвал мозоль на правой руке и побрел домой.

Вечером поиграл в футбол на школьной площадке с незнакомыми пацанами. Позвонил Вове, но тот сказал, что, мол, занят и не выйдет.

* * *

Воскресенье прошло примерно в том же ключе. За исключением того, что выключили свет. Дома находиться стало невозможно, отец сокрушался, что теперь он не посмотрит футбол, мама постоянно просила что-то сделать, помочь, принести, так что Турка ушел бродить по улицам безо всякой цели. Ноги сами понесли его на «Труд».

Тот самый «сторожевой» пес лежал около своей будки. Грелся на солнце. Услышал лязг калитки и приподнял косматую башку. Турка, не глядя, пошел мимо, и пес глухо заворчал.

Турка стиснул зубы и упрямо шел вперед, к синему заборчику стадиона. Пес вскочил на лапы и, конечно, залаял.

— Пошел вон! Фу! — сердце стучало о грудную клетку изнутри, Турка топал ногами на скалящую зубы образину. Жирдяя-хозяина было не видать.

Мало-помалу пес отступил, а Турка смахнул со лба липкий пот. Мерзкое ощущение: в коленках желе дрожит, а за грудиной ледяная пустота.

По дорожкам в солнечный воскресный денек бегало аж четыре человека. Еще какой-то легкоатлет ставил личный рекорд — прыгал в яму, заполненную грязноватым песком с ракушками.

На четвертинке футбольного газона бегали две команды, сплошь облепленные грязью — опять регбисты.

Конова огибала дальний угол поля, как раз где игроки. Бежала медленно, с трудом переставляя ноги. Видимо, последние круги. Поравнялась с Туркой, скользнула по нему безучастным взглядом. А Турка залюбовался ее задом: те же самые лосины и призывно подрагивающая при каждом шаге попка.

«Вот бы погладить!»

— Привет, Лен! — крикнул вдогонку Турка. Ответом стало лишь покачивание из стороны в сторону конского хвостика, стянутого резинкой.

«Ишь какая! Обиделась».

Один тип бегал в «латах» — огромных наплечниках, какие носят игроки в американский футбол. Только сверху футболка их не прикрывала, и парень походил на фонарный столб, на который ураган закинул покореженный автомобильный остов. Росту в нем было никак не меньше двух двадцати, а круглый шлем с решеткой-забралом прибавлял еще десяток сантиметров. Остальные игроки суетились вокруг него, как первоклашки вокруг выпускника школы. Хотя пару раз великана повалили. Какой-то особой мысли Турка в матче не заметил. Перебрасываются руками, ловят, падают, месят ногами газон. Для дубо-ломов игра.

Конова снова пробежала мимо. На раскраснев-шемся личике крупные капли пота, хвостик — туда-сюда, туда-сюда.

— Лен! — Снова ноль внимания. Турка и сам не любил, когда его отвлекают во время тренировки, но сейчас-то дело явно было в другом.

Конова добежала до противоположной стороны синего заборчика и пошла шагом, обмахиваясь ла-донями. Турка отвлекся на матч — там детину сбил какой-то крепыш с бычьей шеей, сверху навалились и другие, как будто в кучу-малу играли.

Лена тем временем уже вышла в калитку и побре-ла к «резервному» выходу на пустырь. Турка пере-прыгнул ограждение и побежал прямо через поле. Пробегая за спинами регбистов, он поймал мяч и поддал его ногой. Раздался свисток, игроки посни-мали шлемы, возмущаясь.

— Э, дятел!

— Вали с поля!

Турка догнал Конову на самой вершине склона.

— Лен, погоди,— он поравнялся с девушкой. Та кусала губы, глядя перед собой и не реагируя.— Да подожди, а!

— Чего тебе?

— Обиделась? Блин, да чо я такого сделал?

— Ты *это* хотел сказать? Тогда можешь бежать назад.

— Ну, Ленк! Сумасшедшая ты, что ли? Хочешь, извинюсь? На колени могу встать!

— Нет, не надо. За что будешь извиняться, если не понимаешь?

Они свернули на улицу Фрунзе. Молча. Миновали двор-колодец, похожий на тот, в котором жила историчка, вышли к Свечному переулку. Турка здесь ориентировался так себе, то и дело поглядывал на прилепленные тут и там таблички с названиями улиц.

— Лен! Ты мне правда, это самое... Нравишься!

— «Это самое», — передразнила девушка. Металлические нотки в ее голосе чуть смягчилось. — Почему не можешь без слов-паразитов?

— Так это, ну — не могу! — улыбнулся Турка. Впрочем, он толком и не мог бы объяснить, зачем они ему требовались. — Лен, давай будем вместе бегать, как тогда! Одному не то, совсем не то...

— Эй, я вроде пока не сказала, что прощаю тебя, — Конова ткнула Турку в плечо костяшками кулака.

— А ты на субботник не ходила вчера?

— Какой субботник? — Лена состроила такую забавную рожицу, так смешно нахмурила бровки, что Турка расхохотался. Девушка подхватила смех. Внезапно прямо перед ребятами выросла фигурка пацаненка, похожего на того, с лицом бультерьера, который показывал Турке задницу. Только без красной кепки, в драной олимпийке и вытянутых на коленях штанах, пятиклашка максимум.

— А вы сейчас что, трахаться пойдете? — спросил он. Лена перестала хохотать и икнула, заводя за ухо прядь волос.

— Тебе не пофиг? — мигом посуровел Турка. Сбрызни!

— А я знаю тебя,— продолжал малой.— Слышь, ты, носатый! Давай гони мне сотку. Это шантаж.

— Малой, тебя в детстве матушка не роняла? — хмыкнул Турка.— Какой шантаж?

— А такой! — малой нисколько не стушевался. Его противный, протяжный голосок с въедливостью комара дребезжал в ушах.— Вы должны мне теперь. Каждый день будете деньги давать, не то расскажу все Вадьке, когда вернется. Ну, что ты с другим коз-лом шляешься.

Турка ступил к шкету и схватил его за грудки. Тот безмятежно смотрел сквозь физиономию Турки во-дянистыми глазками.

— Это кто такой? — спросил Турка у Лены.

— Не знаю.

Турка оттолкнул ма́лого, тот как в замедленной съемке сделал несколько шагов назад.

— Все расскажу! — пригрозил он уже без особо-го энтузиазма.

— Слышь, обмылок! Я тебе потом башку разо-бью, понял?

— Она нормально берет? — осклабился пацане-нок. Хлопнула дверь подъезда, эхо прокатилось по этажам.

Турка заревел и бросился на малого, тот рванул прочь, но Турка ударил ему сзади по ноге, и пацан упал в лужу.

Кед со следами засохшей грязи несколько раз с си-лой ткнулся в бок малому, который, видимо уже по привычке прикрывал ребра локтями. Турка не сдер-живал себя, а Лена его оттаскивала, тянула в сторону:

— Хватит! Все, хватит уже!

— Конечно, хватит... Идите уже шпилиться!

— Ах ты урод! — тут уже сама Конова врезала ему кроссовкой.

— Что творится, о-е-ей! — закаркала какая-то старуха.— Мордуют средь бела дня!

— Мы за дело.

— Я милицию сейчас вызову!

— Бежим,— шепнула Лена. Увлекла Турку к подъезду, и они скользнули внутрь.

Вбежали на второй этаж. Турка согнулся, задыхаясь.

— Вот урод! — сказала Лена.— Слушай, у меня тетя дома. Не могу в квартиру пригласить, уж прости. А то начнется потом — «вот, привела». Она знакома с Вадиком.

— Так... — Турка снова ощутил внутри пустоту. Ступеньки под ногами стали мягкими, как из пластилина, ненадежными.— У вас все-таки серьезно?

— Как тебе сказать... Поговорим об этом потом! — Конова быстро чмокнула Турку в щеку.— Вот. Это на дорожку...

Они стояли в пролете между вторым и третьим этажами. Турка как во сне поднял ладони и положил их на плечики Коновой. Из холода его бросило в жар, подмышки вспотели. Губы Лены призывно приоткрылись, а глаза подбадривали.

А вдруг это только кажется?

И вовсе он Ленке не нравится — иначе зачем ей устраивать спектакли? Обшарпанные стены с надписями, зловония, паутина, вместо гардин прикрывающая узкую раму окна,— все это растворилось, перестало существовать для Турки. Он видел только манящие, чуть влажные губы, и теплые карие глаза — с прежней дымкой печали.

Наверху хлопнула дверь. Наваждение спало, рассеялось.

— Ладно, я пойду. Хоть бы тетка нас в окно не видела!

Турка опустил руки. Постарался запомнить форму плеч, как опытный скульптор запечатлевает в памяти мимолетный образ.

— А как же бег?

— Завтра в школу приду. Тогда и скажу точно. Пока! — она упорхнула вверх по лестнице. Турка еще какое-то время стоял, глядя на бетонные ступеньки. Завтра опять школа, верно. На мгновение Турка забыл, где он учится, и вообще — кто он?..

Никогда еще ничего подобного не испытывал.

— Романтика, елки-палки,— пробормотал он, спускаясь по лестнице.

* * *

Конечно, в понедельник Анка выясняла, по каким причинам ученики не явились на субботник. Чуть ли не половина физ-ры на это ушла. Странно, что Анка ни слова не сказала насчет презервативов, история будто заглохла.

Затем класс бегал вокруг школы. Бедняга Алик чуть легкие не выплюнул, а Проханов подвернул ногу.

Осталось десять минут, и пацаны попросили у Анки мяч — в футбол сыграть.

— Играют только те, кто был на субботнике.

В итоге на команды так и не поделились, потому что Тузов и компания пригрозили Березину и другим «футболерам», мол, если будете играть — вам крышка.

Ну и само собой, было обществознание. «Сексознание!» — снова не преминул заметить Проханов.

Синяк у Вовки немного сошел. Часть пятна прямо у уголка глаза сделалась ярко-желтой, с вишневой примесью, как будто он попользовался мамиными мазилками из косметички.

— Ха! Да ты в гомики окончательно заделался! — ржал Рамис, а Крыщ ему поддакивал, тыча пальцем. Вовка ослепительно улыбался и отшучивался — «так и есть», «понятное дело». И только Турка чувствовал исходивший от него холод.

— Ничего, пусть смеются, пока могут,— бормотал Вова.— Ничего...

До этого сидели на МХК, разбирали что-то там про Древний Египет. Галина Марковна орала, что класс ни черта не знает и что почти все сплошь дегенераты.

— Раньше были дети как дети! Что с вами такое стало?! Вол, я тебе говорю, прекрати! Что ты там по парте катаешь? ДЕБИЛ! — мощная грудь Галины Марковны вздымалась и опадала. Кроме «упавшего на ее голову МХК», эта мегера вела еще и музыку в младших классах. Турка вспомнил, как сам подкалывал Вову за его безукоризненную тетрадь, классе в третьем еще. Вован тогда сидел с Кондратьевой и каждый куплет выписывал разными цветами гелевых ручек: зеленым, красным, синим.

— Да я не делаю ничо!

— Скотина,— хлопнула белой пластиковой линейкой по столу Галина Марковна.— Так, повторяем параграф. Сейчас буду спрашивать по списку.

— Всех? — спросил кто-то.

— Тебя первым, Водовозов. Кстати, где твой брат?

— Заболел. Горло и температура.

— Так, а ты кто будешь? — прищурилась Галина Марковна, устраивая шары задницы на стуле. На мясистый нос с крупными порами и бордовыми прожилками она нацепила очки. Тонкая квадратная оправа, шнурок трет родинки на шее.— Леша или Гриша?

— Я Гриша, а заболел — Леша.

— Господи, девятый год у меня учитесь, а я вас, близнецов, так и не научилась различать! Вас хоть мама не путает?

Гришка только пожал плечами, улыбаясь. Понятное дело, он уже успел привыкнуть к тому, что их все путают, и особого внимания на шуточки и вопросы не обращает. Они такие, близнецы, бывает, что-то как выдумают! Экзамены в прошлом году друг за друга сдавали. Леха больше шарит в геометрии и в матеше, а его брат — гуманитарий. И никто тогда подмены не заметил.

— Повторяйте тему! Тузов, ты готов ответить? А ты, Китарь? Вот и сидите молча. В книгу уткнулись, я сказала! Тоже мне еще, изводите девчонку молодую! Я такого никогда не терпела. Да если б вы только попробовали что-нибудь выкинуть на моем уроке, я бы вас как тузик грелку порвала, клочки б по закоулочкам летели! Вы ее на руках носить должны! Молоденькая, только после пединститута...

Вроде бы кто-то сказал «да конечно, летели». Видимо, не рассчитал со звуком, и получилось слишком уж громко. Кто-то пошутил насчет того, что в пединституте учат на педиков, послышались смешки.

Галина Марковна открыла дверь, выглянула в коридор. Вол поднялся и начал дергать тазом и крутить «факи» в мощную квадратную спину. Смешки усилились, Вол с довольной ухмылкой плюхнулся на стул. Угри, шрамы-вмятины от прыщей, оспинки на его лице медленно заливал нездоровый румянец.

— Давайте. Гриша, готов?

— Можно еще три минутки повторить?

— Ладно. Вол, а ты что там?

— А чо?

— Отвечай. Вставай. Я за тебя в последний-то год возьмусь!

— А ЧО?

— «Чо» по-китайски «жопа»,— вставил Проханов, и класс прыснул.

— Отвечаешь? Или ставлю «два», и пошел вон из класса.

— Галина Марковна, а чо я?! — скрипуче воскликнул Вол.

— Отвечаешь? Раз, два... Все, можешь сидеть дальше.

— Так сидеть или выходить? — снова ухмыльнулся Вол.

— Ты мне рожу свою еще покриви! Дурак несчастный!

— А чо вы обзываетесь? За это на вас в суд можно подать!

На мгновение музы́чка опешила. Редко кто ей дерзил. Даже самые отъявленные хулиганы молча терпели все ее высказывания в свой адрес. Переговорить музы́чку невозможно, а память у нее великолепная: что-то не так сказал в сентябре — будь уверен, весь год она будет капать на мозги, пилить. И еще через пару лет напомнит.

Ну и на руку тяжела. Она раз залепила какому-то дерзкому пацику пощечину — так он сознание потерял.

— Ишь ты, какой умный! Выискался мне, тоже! А на вас, на малолетних преступников, в суд подавать не надо?

— А чо мы?

— Да не «чо»! Это твое «чо» меня уже достало! Когда ж ты уже свалишь и скроешься с глаз моих долой, идиот?!

— А ЧО?!

— Все, Вол, хватит,— музы́чка тяжело дышала, по шее и щекам поползли вишневые пятна.— Кто там отвечает? Давай, Водовозов. Или тоже «пару» хочешь?

В таком ключе и прошел урок. Разве что Вол все-таки смог украдкой нарезать шариков из жвачки и кидал ими в Саврасову. Турка по привычке разглядывал черно-белые портреты на фотобумаге — когда он пришел в этот кабинет в первом классе, портреты уже выглядели старыми. На время ремонта их снимали. Моцарт, Шуберт, Бах, Чайковский, Мусоргский, Бетховен, Шопен. Турка давно заметил, что чем-то Конова похожа на Бетховена. Будто сестра. Тут великий композитор был запечатлен молодым, с грустным взглядом и печально изогнутой нижней губой.

Где-то ближе к концу урока в косяк двери раздался стук. На пороге появилась женщина, и без труда можно было понять, кто она. У нее были такие же, как у сына, матово блестящие глаза, круглые, словно коричневые пуговицы. И выражение лица почти такое же.

— Здравствуйте. Я мама Саши Вола. Пока весь класс тут, можно задать вопрос?

— Ну, у нас вообще-то новая тема... — Галина Марковна поглядела на нее поверх очков.— Ладно, так и быть. Сразу домашнее задание запишите! — прокричала Галина Марковна. На пальцах у нее были перстни с разноцветными стекляшками. За годы преподавательства горло музы́чки все-таки попортилось, словно исцарапанная иглой виниловая пластинка, голос стал надтреснутым.

Записали домашку. Галина Марковна кивнула матери Вола. Она так и стояла возле доски, будто отвечать собралась. И вдруг спросила:

— Скажите, кто принес кондомы в класс?

Некоторые захихикали. Вовка покраснел, сдерживая смех. «Тузовы» за последними партами затопали ногами. Лицо Вола приобрело вид сырого мяса, пролежавшего день на солнцепеке.

— Хватит смеяться! — взвилась Галина Марковна.— Все бы им ржать! Вам задали вопрос — так отвечайте!

Постепенно воцарилась тишина. Перешептывания и смех прекратились. Все приняли более-менее серьезный вид. Турка сидел на том же месте — третья парта среднего ряда. Она отлично просматривается с учительского места.

— Так кто принес? — повторила мать Вола.

— А чо? — едва слышно пробормотал Вовка, и Турка прыснул.

Галина Марковна сняла очки и запустила дужку в бордовый рот.

— Вол! — сказал кто-то.

— А чо сразу я?

— Вы не можете сказать честно? Трусы, что ли? Кто-то ведь все это затеял. И кидал не только мой сын, насколько я поняла.

— Да никто не признается, о чем вы говорите! — вопила музычка.— Трусы, позорники!

Мать Вола постояла еще немного, сканируя каждого своими колючими глазами. Она была настолько похожа на сына — точнее, он на нее,— что Турка невольно почувствовал отвращение.

Мать Вола кивнула и вышла из класса.

Прозвенел звонок.

— Дежурные остались! Кто сегодня? ДЕ-ЖУ-Р-НЫ-Е! Стулья поднять вверх ногами на парты, у меня последний урок. Подмести бумажки, катышки эти... Кто набросал? Свиньи, вот свиньи... Окно откройте, пусть проветрится!

Выяснилось, что, помимо матери Вола, вызвали еще и родителей Каси.

Ну а после того, как незадачливым сыновьям прочитали лекции по примерному поведению, за их воспитание взялись Крыщ с Рамисом. Они затащили Вола и Касю в туалет.

Устроили очную ставку, чтоб выяснить, кто на кого настучал.

— Кто? Ты на него? Чо ты лупаешь на меня, стукач?

— Я не стукач,— отвечал Вол.

Крыщ влепил ему звонкую пощечину. Кася стоял тут же и хлюпал носом. Его и без того водянистые зенки наполнились влагой:

— Да мы не стучали! — и он тут же получил пинка.

— Самая поганая тема — стучать. Я разве не говорил? Вы должны были сказать, что вообще никаких презиков никто не кидал! Нет? — изо рта Тузова в лицо Касе летели капельки слюны. Потом Тузов схватил своими пальцами-обрубками лицо Каси и сжал так, что оно превратилось в гротескную маску.

— Там историчка стояла! Как мы могли...

Еще один звонкий шлепок.

— Мне нассать. Тебя, Кася, мы бить не будем. А ты, Вол, уж извини,— Тузов развел руками. Крыщ дал Волу коленом под дых, и тот согнулся. Рамис с прыжка пробил ногой по голове, как по мячу. Вол упал на загаженную туалетную плитку, в холодную лужу.

Крыщ и Рамис принялись пинать его ногами, а Вол лишь прикрывался, тонко вскрикивая. Продолжалось это каких-нибудь пару минут. После Тузов поднял Вола за волосы — тот кривился и ныл, скаля желтые никотиновые зубы. Губа у него лопнула, оттуда сочилась кровь.

— Умойся,— Тузов толкнул его к раковине.— Так, Кася. С тобой у нас разговор пойдет другой. Наказать ведь тебя как-то надо, согласен? Ты ведь провинился?

— Чего? — цветом кожи Кася мог спорить с кафелем.

— Гавари! Согласин, нет?! — гортанно крикнул Крыщ, дергая Касю за воротник.

— Д-да. С-согласен. Ну, простите меня, пожалуйста. Я ведь ничего такого не сделал, там и она была... И завуч тоже.

Снова тычок, зубы щелкнули. Вол тем временем сморкался в раковину, и сток глотал воду, смешанную с кровью.

— Ну, все. Он согласен.

— Пацаны, ну пошутили и хватит. Ну побейте меня тоже... — Кася шепелявил, а его тем временем подталкивали к ступеньке, поддерживая под локти. Бачок плохо держал воду, она с журчанием пропадала в рыжевато-коричневой дырке очка.

— Башкой? — спросил Крыщ.

— Ага.

— Не надо, ну пацаны, прошу, ну пожалуйста, лучше побейте. Нет! — Кася напрягся и тут же получил локтем в почку.

— Ныряй!

Хрипло тренькнул звонок. Как простуженный петух, проспавший утреннюю зорьку. Хлопнула дверь — в туалет зашла Инесса Моисеевна, завуч.

— Что у вас тут происходит?! Звонка не слышали? Опять ваша банда! Отпустите его немедленно! — она перевела взгляд на красномордого Вола. Кася шмыгнул носом и провел ладонью по мокрым волосам.— И ты тут? Касьянов, иди на урок. А вы — за мной, в кабинет.

— Шиздец вам,— растянул губы Тузов.

* * *

На обществознание класс собрался-таки в полном составе. Вол, насупленный, с распухшей рожей, восседал за последней партой.

Кася как-то странно дрожал, и одно веко у него подергивалось. Тузов и остальные привычного расположения духа не потеряли — на перемене загнали Русакова в шкаф и придвинули несколько стульев и парт, чтоб не смог выбраться. Петя не очень-то и пытался. Просто тихо сидел до звонка и ждал освобождения.

Как-то раз затолкали в шкаф Шарловского. Тот неожиданно взбесился, полез в драку. Они сцепились с Волом, начали душить друг дружку в сгибах локтей, завалили несколько парт и смахнули с подоконника цветочный горшок. Потом Шарловский схватил стул и швырнул в Вола. Тот увернулся, и стул попал в Зульфалиеву — бесцветную болезненную девочку. Глаза у нее чуть раскосые, волосы всегда присыпала перхоть. Ну и носила она какие-то непонятные, вытянутые чуть ли не до колен бабушкины свитера. Она редко отвечала на уроках и большую часть четвертей болела. Ей посчастливилось прийти в школу в третий раз за полугодие и получить в висок ножкой стула.

Хорошо хоть, более-менее обошлось. Зульфалиева только стекла под стол — упала в обморок. Вошла Зинаида Альбертовна, принялась визжать и причитать... Шумиху затеяли знатную.

После этого случая Зульфалиева в школе вообще не появлялась. Вроде бы перевелась в тридцатку.

Рустам Асламов, как всегда молча, листал учебник, из разных углов класса неслась музыка, и Гришка Водовозов время от времени кричал:

— Да выключите вы свои пищалки!

И конечно, всем было плевать.

Даже Конова присутствовала на всех уроках. Впрочем, они с Туркой лишь сухо поздоровались, да несколько раз обменялись ничего не значащими взглядами. Хазова весь день пялилась на Вовку, а тот тоже на нее поглядывал:

— Слышь, может ты и прав. Блин, я не верю! И так смотрит, и хихикает. Надо у Воскобойниковой спросить. Или у Слютиной.

— Так они тебе и сказали! Не, я бы на твоем месте с ней не связывался.

— Так ты ж сам сказал, что вдуть можно? — Вовка говорил в полный голос. Вопли, музыка и девчачий визг полностью перекрывали беседу.

— Можно, да. Но мне Рита не нравится. Темная какая-то. Ну противная, скользкая... как змея.

— Выдумываешь! — фыркнул Вова.

Зацокали каблуки, на пороге появилась Мария Владимировна.

— Звонок был уже? — спросил Вова. К дверцам шкафа в конце кабинета пацаны придвинули две парты.

— Не слышал.

— Был-был,— повернулся Алик. Он что-то повадился садиться впереди Турки и Вовки, с Русаковым.

— Что происходит? Мальчики, поставьте столы назад.

Никто не шелохнулся.

— Что, очередной прикол?

Сегодня Мария Владимировна опять в водолазке, только в темно-синей. Туфли без каблуков, юбка прикрывает колени. Девчонки рассказывали, что учителя на нее взъелись, мол, развращает молодежь, ходит неглиже. Похоже, что Мария Владимировна вняла. А Турка только хмыкал. Девчонки и сами хороши, по сравнению с некоторыми старшеклассницами историчка — сама целомудренность.

— Да помогите же кто-нибудь!

Вызвалось несколько человек — Березин, Саша Уфимцев и Рома Филиппов. Вовка подорвался, но сразу сел — и без него куча желающих. Парты поставили на место, к среднему ряду. Стулья подняли с пола. Открылась дверца шкафа, оттуда показалась голова Русакова, волосы сплошь в паутине и пыли.

— Ты чего туда залез?

— Да меня запихнули! — Пацаны взорвались смехом, а Петька покраснел как рак и стал отряхивать вязаный серый свитерок, вытертый на локтях, и брюки, покрытые пылью и паутиной.

— Детский сад,— подняла бровки учительница.— Сходи, вымой руки и приведи себя в порядок. Хватит смеяться, ребятки, ау-у! Сегодня у нас очень важная тема: «Эволюция и революция общественного развития». Как вы думаете, что сейчас происходит с нацией, с людьми? И вообще, кто-то может ответить, что такое «эволюция»? А ре-волюция? — Мария Владимировна уперлась ладонями в стол, чуть отставив зад. Груди затрепетали под водолазкой. Турка подумал, что может наблюдать за этим действием вечно.

Когда учительница отвернулась, Крыщ встал с места и задвигал тазом и руками одновременно, будто ехал на лыжах.

По классу прокатился ржач.

— Эволюция — это развитие, постепенный, качественный переход на более высокий уровень.— Слютина поумничала, конечно. Наверное, уже половину учебника вызубрила.

— А революция — это война,— сказал Проханов.— Ленин революцию устроил.

— То есть, революция — это переворот с ног на голову и... Тузов! Да прекратите вы уже!

— А мы ничего,— сказал Крыщ. Хлопнула дверь, и на пороге появился Русаков. Кто-то включил древнюю песенку «Крэйзи фрога», и от первых же звуков Турку начали душить рвотные позывы.

— Вот он, подмылся! — захихикал Вол. Петька, видимо, не услышал и с важным видом кивнул:

— Да, вот и я.

Все загоготали. Мария Владимировна закатила глаза:

— Верх остроумия. Ладно, садись уж, Петь. А вас, видимо, надо рассадить. Вот, возле Гриши место сегодня свободно. Рамис, да? Или как тебя зовут? Ау, вы слышите?

— Что? — прищурился Тузов.— А, слышим...

— Где ваш товарищ, Шульга?

— А мы за ним не следим,— презрительно бросил Тузов, бросив на учительницу. цепкий взгляд. На глаза ему наползали брови, словно скрывая часть намерений, вечно гнездившихся под твердой черепушкой. Серп шрама на лбу Тузова налился бордовой краснотой.

— Хорошо. Рамис, садись на первую парту, к Водовозову.

— Заче-е-ем? — с неохотой протянул дагестанец, хмуря брови. На его смуглом лице, с которого как будто круглый год не сходил морской загар, выделялись белки глаз.

— Мне так будет удобнее.

— А мне вот так будет удобнее.— Рамис чуть отодвинулся назад и заложил кроссовки на парту. С подошв отвалилось несколько сухих кусочков грязи.— Но ведь я так не сижу?

— Вы мешаете другим ученикам заниматься. Либо ты садишься на первую, а ты, Сережа, на тот ряд,— Мария Владимировна подошла к последней парте и говорила медленно, с расстановкой,— либо вовсе выходите из класса. Все выходите, но не домой, а к директору или к завучу.

— И чо там? Ну, я могу в принципе сходить. Он на месте, Сергей Львович-то? — развязно спросил Тузов. У Турки в груди потихоньку распухал ком, а пульс долбил в затылок.

Они и впрямь не имеют права, не могут они так разговаривать с ней. С учительницей, с девушкой!

— Совсем охренели,— пробормотал Вовка.

— Так мне пойти пригласить завуча? — Вопрос словно бы повис над головами, тускло подсвеченный светом из окон. В воздухе медленно, чинно плыли меловые пылинки.

— Ла-адно. Я пирисяду, эсли уам так хочица,— с нарочным акцентом протянул Рамис.— Мине там панравится? На пэрвой партэ? Оттуда лучше слышна, да?

— И видно,— добавил Тузов. Все трое засмеялись. А вместе с ними — Кася, Вол и примкнувший к ним буквально с этого года Китарь. Раньше он играл в футбол и учился на тройки-четверки. Был немного сумасшедшим — перечил учителям, размахивал кулаками, в общем — типичный «мужик». Его никогда и не трогали из-за силы, Китарь занимался кикбоксингом. Но и конкретно в каких-либо классных «группировках» он не состоял, общался почти со всеми.

Летом Китарь начал выпивать, за курево взялся основательно. И вот с начала года он сидит за последними партами, смеется дурацким наигранным смехом и демонстративно игнорирует старых приятелей.

Разговор шел в параллельной плоскости. На обычном уровне хулиганы дерзили, но существовал и незаметный чужому уху, потаенный смысл.

Турка поерзал на стуле. Его бросило в жар. Рамис встал, собрал нехитрые пожитки в виде пакета с рваными и мятыми тетрадками. Обошел парту, а когда Мария Владимировна отвернулась, растопырил обе пятерни, будто пытаясь схватить учительницу за попу.

Вовка сжал карандаш и крикнул:

— ЭЙ!

Рамис мигом принял вид смиренного агнца.

— Что такое? Проблемы, Вов?

— Сулейманов, ты сядешь, наконец?

Рамис украдкой показал в сторону Вовки кулак и сел рядом с близнецом Водовозовым. Сразу повернулся вполоборота и подмигнул своим дружкам.

— Теперь, когда мы разобрались с некоторыми нюансами,— Мария Владимировна села за стол,— можно, наконец, продолжать. Как вы думаете, по какому пути идет наше общество? Мировое в целом, я имею в виду.

— Гуманизм,— ответила Воскобойникова.— Недопущение войн, лечение болезней, помощь странам третьего мира — по этим параметрам можно сказать...

— Нет, Алина. Ты меня не поняла. Я говорю сейчас именно о нравственном аспекте. Вол! Да прекрати ты хихикать!

— А чо?

— Ничего. Сегодня ведь вызывали твою маму, насколько я знаю...

— А чо-о?

— У тебя пластинку заело? — вскипела Мария Владимировна, а Вол довольно засмеялся:

— Ничего у меня не заело. Может, у вас там что-нибудь и заело, но не у меня.

— Заткнись, Вол! — гаркнул Женя Мнушкин. Он только в этот понедельник вернулся в школу. Обычно он выставлял себя эдаким «успокоителем», хотя сам был не прочь кинуть кого-нибудь прогибом на перемене (или прямо на уроке, если преподаватель отлучился), «пошутить» по-всякому. Боролись они обычно как раз с Рамисом.

— Замолчите оба! Итак, вы считаете, что сейчас общество имеет положительный вектор развития? Верно? Или все-таки идет деградация путем медленного преобразования и подмены ценностей — разрушающая эволюция?

— Что? — спросил Проханов. Но на этот раз никто не смеялся. Все как будто задумались над вопросом. Хотя Турка знал, что это не так. Обществознание как предмет не очень-то уважали. Турка даже подумывал, что может взять его как один из двух «выборных» экзаменов.

Если Мария Владимировна проработает до конца года.

— Попробую объяснить. Открыли тетради, поставили число и записали тему с доски. А я пока начерчу схемку.

Ребята зашевелились, зашуршали страничками. Шариковые ручки едва слышно скрипели во внезапной тишине.

Учительница взяла со стола ежедневник — страницы скрепляла пружина,— вооружилась куском мела и отвернулась к исцарапанной многолетними потугами учеников доске. Когда она прочертила первую стрелку, прямо от заголовка, Турка вспомнил сердечки и пронзающие их стрелки, такие даже он когда-то рисовал на листках, и поглядел туда, где обычно сидела Конова.

Мел тихонечко поскрипывал.

Рамис в это время зашелестел своим кульком — слишком огромным для пары-то тетрадей. И вот теперь он вытащил оттуда тридцатисантиметровую линейку. Не металлическую, гнущуюся, а деревянную.

Тузов в это время зажал кривые зубы ладонью и едва слышно захихикал, будто в конвульсиях забился. Крыщ скалился в открытую, остальные ребята начали потихоньку разговаривать. Так всегда бывает — только учитель выйдет или начнет рисовать на доске, потихоньку возникает гул. Сначала он похож на гул трансформаторной будки, или там пчелиного улья, и постепенно становится близким к реву машин на проспекте.

Учителя, поглощенные записями, могут не обращать внимания на этот гул, а между тем он — отличное прикрытие.

— Давай! — прошипел Тузов, махая рукой как стартовым флажком. Рамис кивнул, облизал губы. Чуть привстал с места и протянул вперед светло-желтую пластину. Сначала никто не замечал, что происходит возле первой парты, но уже спустя мгновение шум чуть подутих.

Многие учителя знают, что это значит. Обычно причиной тишины становится какая-нибудь шуточка или же немое удивление.

Сейчас обе эти составляющие присутствовали в равном количестве.

Рамис вытянул линейку и подвел ее к подолу юбки учительницы. Наверно, не рассчитал и легонько ткнул в бедро Марии Владимировны. Та почувствовала что-то, но, занятая процессом соединения стрелок, линий и кружков, отреагировала вяло: вроде как хотела провести ладонью по юбке, но, наверное, вспомнила, что пальцы выпачканы мелом. Рамис отвел линейку. Он уже не оборачивался назад, видно, полностью сосредоточился на процессе.

Привстал, протянул руку вперед и завел линейку учительнице между ног. И начал медленно приподнимать подол.

Юбка поползла вверх.

Показались стройные ножки в колготках телесного цвета. Мел перестал скрипеть, и тишина напоминала отголоски звонка, уже протрещавшего свое.

Юбка ползла все выше. Вот уже виден задний шов колготок и крохотный треугольник белых трусиков.

Рамис дернул линейку вверх.

Все оттенки громового хохота, визг. Вовка закричал и загремел стулом, вскакивая на ноги. Глаза у Марии Владимировны полезли на лоб. Что-то громыхнуло, лязгнуло. Турка вспомнил где-то услышанную фразу о том, что хорошие девчонки носят именно такие трусики.

Это всем известно. Белые трусики — только для примерных девочек.

Грохот оказался смехом и стуком множества кулаков по крышкам столов. Топали ноги, надсадно ревели глотки. Вова прямо через парту накинулся на Рамиса, и они исчезли между рядами. Турка тоже протиснулся между стульями, но тут же тупая боль возникла в виске и разлилась по волосам и по лицу, застилая обзор.

Крики, смех, гвалт, скрип стульев по паркету и тупая боль в голове.

* * *

— Ты как? Нормально?

— К Таблетке, бегом.

— Помогите! С той стороны держите его.

Что-то горячее текло по затылку вниз. Залило шею и часть спины. Ноги подкашивались, сил совсем не было. Турка замычал. Серый потолок с паутиной и грязно-коричневый паркет под ногами несколько раз поменялись местами.

«Уже не блестит от мастики»,— Турке казалось, что он идет на руках, в водовороте акварельных красок, смешанных разом, и пузыри лиц кричали и спрашивали что-то, лопаясь звуками.

В нос шибанул резкий запах, и Турка открыл глаза.

Медкабинет. Стол Таблетки пустовал, потому что она собственной персоной нависала над ним, со своими рыжими патлами, вытравленными «химией». Пальцами-сардельками она подносила к лицу Турки дурно пахнущую ватку, прямо в ноздрю тыкала.

— Хватит, не надо! — Турка врезался затылком в стену.

— Ишь, не надо ему! Пришел в себя, стало быть? Так, потише, повязка тебе наложена!

Турка потянулся к голове и нащупал шероховатые бинты. Подушечки пальцев окрасились малиновым.

— Что такое? — прошептал Турка.

— Все нормально,— ответил ему Вовка. Он сидел напротив, на стуле. Из носу у него торчали кровавые тампоны, а вокруг глаза распухло еще больше.

— Скорую вызвали! — проскрипела Таблетка.— Сидите смирно, я сейчас приду. Ох, хулиганье проклятое! Расшибают головы, дерутся, а ты возись с ними, с окаянными!

Она выплыла из кабинета и захлопнула дверь.

— Что случилось? Правда, что ли, скорую вызвали?

— Правда. Отвезут тебя в больничку. Ну, и я с тобой. Что мне, на уроках сидеть? Да и будут ли теперь занятия, неизвестно. Такой гвалт поднялся...

— Да что произошло?! Ни черта не помню!

— Это хорошо, что не помнишь,— оттянул краешек рта Вовка.— Это хорошо.

* * *

— Садитесь, Мария Владимировна! Чего в дверях-то застыли?

— Сергей Львович! Да что ж такое в школе творится? Я понимаю, обычные нападки, но это уже переходит мыслимые границы! Разве я неправа? — Предложением сесть на стул учительница не воспользовалась, так и продолжала стоять в дверях, заламывая пальцы.

Директор с безмятежным видом сидел в своей обители. Тут стояли новые шкафы, паркет отражал свет, который проникал сквозь пластиковые окна, забранные коваными решетками, блики танцевали на стенах, на белоснежном потолке. Только-только после ремонта кабинет, везде свежесть и чистота.

Он повернулся в кожаном кресле. Удобном, широком. Упер шею в валик-держатель.

— Правы. Вы абсолютно правы, милочка! Только зачем же стоять? Садитесь на стульчик! Хулиганы — дело такое... Сами понимаете, как можем, так и боремся. Многие на учете в милиции состоят, Асатрян так и вовсе с условной судимостью. С родителями Сулейманова мы проведем работу, я хорошо знаком с его отцом, прекраснейший человек, бизнесмен. На детей в этом возрасте влиять чрезвычайно сложно, уж поверьте моему педагогическому опыту! Собственно, это и не дети уже вовсе, понимаете, о чем я? Переходный возраст, гормоны. А вы — красивая девушка, молодая. Вот и привлекаете повышенное внимание, стало быть.

— Я работаю тут неделю с небольшим. Уж не стали ли ДЕТИ такими по моей вине? — спросила Мария Владимировна и скрестила руки спереди. Ей не нравилось, что взгляд директора постоянно нырял в ложбинку между ее грудями.

— Нет, что вы! Не это я хотел сказать, милейшая! — директор крутнулся в кресле из стороны в сторону. Маленький плюгавенький мужичок с залысинами и усами. Он специально начесывал волосы с затылка и боков, чтоб скрыть жиденькими прядями плешь.

— А что?

— Присядьте, прошу вас! — взмолился директор. Мария Владимировна вздохнула и устроилась напротив Сергея Львовича. Одна радость — теперь он не будет обшаривать взглядом ее ноги и приподнимать юбку.

— Это тревожный звоночек, вы понимаете? Если им это сойдет с рук, то — что дальше?

— Помилуйте, ну что такого произошло...

— Сулейманов при всем классе поднял мне юбку линейкой.

Директор поднял кустистые, с проседью брови, и между сонных век замелькал блеклый, желтоватый белок.

Мария Владимировна пылала. Она до сих пор не верила, что это на самом деле произошло. А уж что потом началось! Массовое побоище. Она раздала несколько пощечин, сама получила тычок локтем в нос, который теперь распух и пульсировал.

— Вы не преувеличиваете? — сказал директор.

— Что? Вы сомневаетесь в моих словах? Да что с вами такое?!

— Нет! Опять вы меня неправильно поняли. Конечно, я проведу воспитательную беседу с Сулеймановым, Тузовым и остальными. Конечно, это вопиющий случай! И если только придать его огласке... Вы даже не представляете, что может случиться. Полетят головы. Начнутся проверки. Пострадают преподаватели, понимаете?

— А то, что я *пострадала* — это как бы ничего? Похоже, вы ни в грош не цените новых... новые кадры. Только и слышу перешептывания за спиной! Про юбку, про колготки, про глубину вырезов... Будто больше нечего обсудить, будто других проблем нет! Шепчутся за спиной, а в глаза — улыбаются. Я могу уволиться, если вам угодно.

— Что вы! Молодой, перспективный преподаватель! Как можно! Недопустимо! — размахивал руками директор. Он открыл ящик стола, поглядел вниз. Облизнул губы и странно дернул плечом.— Но вы сами понимаете, авторитет нарабатывается годами успешной практики, с ней и опыт приходит. Сколько бы у вас ни было дипломов, реальный опыт...

— Никчемный разговор. Я от вас такого не ожидала, Сергей Львович.

— Сядьте, пожалуйста.— Голос директора стал тверже.— Новые кадры мы ценим, но, видите ли, не все так просто. Конечно, вы можете подать на Сулейманова в суд. Да хоть сразу на всю шайку! Только что им предъявят? Хулиганство? Ребята несовершеннолетние, и...

— Речь не о суде. Я хочу, чтоб их исключили из школы. Или на время отстранили от занятий. В чем проблема?

— Послушайте, это же девятый, выпускной класс,— директор вновь облизнул губы.— Доучиться-то им осталось всего ничего. Год закончится, отпустим их на все четыре стороны. Зачем же портить статистику... — Патлы на лысине Сергея Львовича взмокли. Он потеребил пуговицу на лацкане пиджака, снова поглядел вниз.— Давайте вместе со мной? Нервы — дело такое...

— Вы же в школе,— изумленно протянула Мария Владимировна.— Коньяк?..

— Как можно, как можно! Но у нас экстренный случай, ЧП! Ладно,— вздохнул директор, снова впиваясь взглядом в водолазку учительницы.— Но ведь всплывет и ваша история, если начнется полноценный разбор полетов. Придется ведь приглашать людей из комиссии — из районной, из городской. Из детской комнаты милиции приедут, как пить дать, и учебный процесс встанет, я вас уверяю.

— *Моя история?*

— Бросьте. Слухи не рождаются на ровном месте. Что помешает Сулейманову сказать про... неформальные отношения с вами? Нет-нет! Дайте я договорю. У вас новые методы, это понятно. Мне они нравятся, ей-богу! Но есть и противники. Те, кто считает, что школьники — это прежде всего ученики, а не дети, и уж тем более не люди,— усмехнулся Сергей Львович.— Сложно? Само собой. Так вот, на прежнем месте работы, в своем городе, вы преподавали девятым классам. Тоже всего ничего, годик. Но и там была одна история. Любовной ее назвать, или как?..

— Это никоим образом не касается сегодняшнего происшествия,— отчеканила Мария Владимировна.— Сейчас речь о том, чтобы наказать этого урода. А история с... с водой? Точнее, ну... вы поняли, с чем. Вы же обещали повлиять? Я считаю, что исключение из школы этих мерзавцев пойдет только на пользу учебному процессу, за который вы так ратуете! Они мешают учиться нормальным детям, а вы печетесь о статистике.

— Ваше предыдущее место работы к делу имеет самое непосредственное отношение. Хотите, чтоб об этом трепались на каждом углу? Поверьте мне, делу не стоит давать ход. Мы вас взяли как надежду, вы лучик солнца в нашем, хм-м, королевстве кривых зеркал. И вы хотите разбить эту надежду вдребезги?

— Нет... Боже! О чем вы только говорите! — Мария Владимировна закрыла лицо ладонями. Всхлипнула и опустила голову на стол, не отрывая пальцев.

— Я обязательно придумаю, что тут можно сделать. Отец Сулейманова — большой друг школы. Мы с ним на короткой, так скажем, ноге. Не представляю, как выглядела бы школа без его помощи. Финансирование-то у нас — гос-споди...

Блики света, кажется, мелькали и на зубах Сергея Львовича.

— Машенька, милая, я к вам по-отечески... — директор оказался сбоку от учительницы. Она чуть скосила глаза и увидела мотню брюк прямо напротив щеки. Директор погладил ее по плечу и будто невзначай пальцы его скользнули под высокий ворот, так что девушка вздрогнула от прикосновения.

Нежная кожа встретилась с сухой заскорузлой подушечкой директорского пальца.

— Честное слово, я это так не оставлю...

Мария Владимировна вскочила и отвесила директору пощечину.

ГЛАВА 10

ПЕРВЫЙ РАЗ

На скорой ехали без мигалок. Турка сам не заметил, как задремал. Напротив него сидел Вовка, а рядом — Лена; никто не стал протестовать, когда она влезла в «Газель» вместе с пострадавшими. Нежные прикосновения и поглаживания облегчали боль почище любого лекарства, и Турка даже был рад, что получил по башке.

В больнице ребят немного потаскали по кабинетам, предложили госпитализацию, от которой пацаны хором отказались.

— Ну, раз так... Швы вам, слава Богу, накладывать не надо. Должно само зажить. Если только снова в драку не полезете! — улыбался доктор с усами-щеточкой и квадратными очками на широком носу.— Разве что перевязки делать придется. Соответственно, от школы я вас освобождаю...

— Обоих? — с надеждой спросил Вовка.

— Нет. У вас-то что, молодой человек? Синяки да ссадины. Жить будете в любом случае. Ну а вам,— обратился врач к Турке,— две недельки отдыха не помешают. А там уже и каникулы на подходе, верно?

У меня просто внучка учится в третьем классе, поэтому знаю. Кстати, физические упражнения противопоказаны. Насчет питания — нужно налегать на белок, мяса побольше кушать, рыбу, орехи, творог. Любите творог?

— Я вот ненавижу творог,— наморщила носик Лена. Они сидели в кабинете все втроем. Тут было просторнее, чем в медпункте, кушетка отсутствовала, зато стоял большой стол, который явно выглядел недешевым. Еще в кабинете имелась куча ящиков, полированный шкаф с книжками, брошюрками и целой армией картонных папочек на завязках, а лекарствами почти не пахло.

— И очень плохо, девушка! Творог полезен. Мазь я вам еще выпишу,— врач быстро нацарапал на листке рецепт: что-то неразборчивое после цифры «1», витиеватые закорючки после цифры «2».— Берите. За справкой ко мне потом придете, заодно и посмотрим, как ваша голова заживет. Можете идти! Повезло вам все-таки, могло быть намного хуже.

— Череп как котелок,— бормотнула Лена, и все засмеялись.

Ребята вышли из здания. Солнце то проглядывало сквозь тучи, то снова пряталось за облаками. Спустились по ступенькам. Вокруг целая куча отделений: хирургия, травмпункт, роддом, «ухо-горло-нос».

— Вообще жесть! Стулом! Недоумок. Что ему теперь будет?

— Крышу? — переспросил Турка. Мысли разбегались, и его вдруг посетило острое дежа вю. Как будто это уже было или будет. Почему-то он подумал про маму, она на днях в поликлинику собиралась сходить или сходила уже. Она в последнее время какие-то капли пьет и с тонометром почти не расстается. Давление, что ли.

— Засадить его надо. Можно заяву накатать. Только это, сам понимаешь,— не по-пацански.

— Ага, а если б он тебя убил? — воскликнул Вова.

— Да кого он там убил бы,— отмахнулся Турка.— Самое главное — что теперь Рамису будет? Выгонят из школы, как думаете?

— Вряд ли,— сказала Лена.— У него ж там папа-мафиози.

— Да какой мафиози! Торгаш обычный,— поморщился Турка.— У него точка на рынке, с овощами. Ну, знакомства он там с кое-какими людьми водит, но это все так, фигня.

— Пошли быстрее, вон шестьдесят первый! — воскликнула Лена.

В автобусе почти не разговаривали. Заплатили при входе, это нововведение действовало совсем недавно. Вова распрощался за три остановки до конечной, Турка и Конова поехали дальше.

— Ужас. Не знаю, что сделала бы с Рамисом, будь я учителем. Как теперь она будет преподавать? Мне подруга рассказывала, Светка из параллельного девятого, что Марию Владимировну облапали. А все потому, что она держится как подружка, а не как преподаватель.

— Облапали? Да кто ж ее мог облапать? — протянул Турка, вспоминая, как клешня Алика пролезла к трусикам Марии Владимировны. Конова продолжала говорить, и он смотрел на ее губы.

— Кучеров.

— Переросток этот, мажор? На «бэшке» который ездит?

— Да, он самый. Приколи, застали их. Правда, не при классе. Кучеров как будто остался после урока, мол, они с Марией Владимировной разговаривали... Не только разговорили, понимаешь. Зайдешь ко мне?

Поднялись по лестнице, Турка чувствовал себя как никогда возбужденным. Во всех смыслах.

— Чай будешь? Или молоко?

— А кофе есть?

Побеседовали ни о чем, шурша фантиками конфет. Конова все время внимательно поглядывала на Турку, а потом отводила взгляд и улыбалась. На вопросы не отвечала, отмалчивалась.

— Ну, все. Я уже до горла полон. Булькает внутри...

— Внутри,— повторила Лена и вздохнула.— Пошли, музыку послушаем?

— Музыку? — Турка облизнул губы, чувствуя движение в штанах. И тут же, следом за этим, по спине пробежал полк ледяных мурашек.— Давай.

Лена включила «MTV», там шла очередная «горячая десятка».

— О, моя любимая песня будет сейчас! — хмыкнула Лена.— Шутка, если что. Я эту фигню не перевариваю.

Они сидели на небольшой скрипучей софе в зале. Под ногами был ковер, рядом — журнальный столик, а на нем — баночка с витаминками «Ревит», тюбик крема для рук, колба с ватными палочками и позолоченная держательница с салфетками. И еще крошки.

На экране вертела задницей Дженнифер Лопес.

Турка положил ладонь на бедро Лене. Она сделала вид, что не заметила. Музыку Турка уже не слышал, в голове стучал пульс, а в груди дрожало горячее облако. Он вздрогнул, когда рука Коновой накрыла его ладонь. В следующее мгновение ее губы впились поцелуем в его рот, и облако в груди разорвалось жаром, а тело стала затягивать в небытие сладкая нега.

— Я тебе нравлюсь? — прошептали красные губы. Сейчас мир сузился только до них, до манящих, сладких бутонов.— Ну-ка скажи...

— Да... да!..

* * *

— Артур! Ну и как?..

— М-м... Ты прости... Спрашиваешь!.. Я, это самое... Не, ну было, конечно, уже! Но чтоб так — нет.

— Ох, как хорошо, божечки! — Лена чмокнула его в щеку.

Турку охватила целая гамма эмоций. Тут было и удовлетворение, и удивление, и восхищение Ленкой, в конце концов. И никакого конфуза. Что поделать, если у Лены это уже много раз *было*? Каждый с чего-то начинает.

Раньше Турка только плевался, читая или слыша выражение «бабочки в животе». Стыдно признаться, но сейчас он как раз чувствовал, как внутри него порхают нежные крылышки. Хорошо, что пацаны никогда не узнают.

«С отцом она,— всплыл в голове обрывок разговора.— Только не сейчас!»

Наверное, что-то такое отразилось в его взгляде, потому что Лена приподнялась на локте:

— Что ты? А?

— До сих пор в шоке. Так кайфово!

— Смешной ты,— Лена поцеловала Турку еще раз.— Всем только этого и хочется, а на самом-то деле, боже мой — ничего особенного, если так подумать. Женщине, кстати, намного приятнее, чем мужчине, я так думаю. Но зато вы всегда, ну... кончаете.

Турка глядел в потолок. Несколько трещинок, мелкие паутинки в углах. Телевизор Лена уже выключила, и теперь нашаривала мобильник.

— Щас крутую песню врублю. По «MTV» один шлак крутят, реально. Вот... Припев, припев слушай... Нормал? «Оффспринг», между прочим.

— Ага.

— «Будущее сейчас» переводится типа. Я вот все время чего-то жду и думаю, что в будущем все будет хорошо. Но ведь будущее — это уже то, что происходит с нами сейчас. И никто не знает, что случится завтра. Нужно жить этим моментиком, да? Как все эти психологи пишут. Я ведь не должна всю жизнь сторониться секса, правильно? Мне просто нужно было найти нормального парня...

— А? Ты о чем, Лен?

— Нельзя ставить на всех крест из-за одного... человека. Мама тогда пришла с работы раньше обычного, у нее язва обострилась. И вот она заходит, а я голая, сижу на коленях у НЕГО. Я тогда и не понимала-то ничего, а мама все увидела. До этого он только щупал меня, а в тот день попросил намазать губы маминой помадой. День рожденья у меня в декабре, поэтому родители решили подождать год, не отдали в школу. Значит, тогда мне было полных шесть лет.

— Лен, тебе вовсе не обязательно рассказывать... Твой папа...

— Мне нужно,— Конова смотрела в потолок, не мигая.— Я думала, тебе хочется услышать правду. Почему «папа»? Не папа, а дядя. Двоюродный. Ничего такого, он даже не расстегивал штаны и не показывал мне ничего. Просто одна дура пустила слух, но... теперь уже неважно. Слушай, после этого дела мне всегда курить охота. О! Это из «Эффекта бабочки», «Оазисы» поют. Клевый фильм, и песня тоже.

Лена подхватила трусики, взяла мятую футболку с кресла и вышла из комнаты. Турка провел рукой по перебинтованной голове. Из-под бинта торчали жирные мокрые волосы. Прикрыл глаза. В паху до сих пор все горело, а внутри будто струны подрагивали. Так тоскливо стало, даже противно немного, как будто Лена и сейчас шестилетка.

«Не папа, а дядя». Легче ли от этого? Нет.

«Оазисов» Турка раньше не слышал, но мелодия ему понравилась. И где только Ленка такую музыку находит?

— Ты сам покурить не хочешь? Ты вроде как бросаешь? Хотя тебе, наверное, нельзя курить. Смотри-ка, бинт потемнел. Давай перевязку сделаем.

«Физические упражнения тоже вроде как нельзя»,— усмехнулся про себя Турка.

Лена засуетилась. Что теперь, не ходить три недели в школу? Страшно представить, что банда Тузовых может сделать за это время с Вовкой. Но сейчас до этого Турке не было дела. Он хотел лежать вот так, и чтоб это сладостное покалывание не исчезало никогда.

«*Двоюродный дядя*».

Ленка тем временем притащила бинты.

— Ты хоть сохранил бумажку-то? Мазь же тебе прописали.

— Да и так заживет,— отмахнулся Турка.— Он же сказал — рассечение всего лишь.

— Так, а сотрясение? Нет, ты это мне брось. Мозг — дело серьезное.

— Ага, если он есть.

На мгновение Лена будто превратилась в Туркину маму. Он глядел на девушку, а рот растягивался в глупую ухмылочку. Турка сел, и Ленка стала делать ему перевязку. Теперь что — заниматься на турниках тоже нельзя? Да ну, только привык...

— Вот, так лучше. Блин, ну и сумасшедшие мы! Я и забыла совсем.

— Ничего. Я бросаю курить вообще-то, но давай,— Турка почесал грудь. На ней только-только начали вылезать мелкие волосинки. Лет через пять, прикидывал Турка, грудак будет чернющим, как у папы.

Лена протянула Турке сигарету.

— Только пошли на кухню хотя бы. А то меня тетя убьет.

Какое-то время Турка сидел на табуретке, подперев голову. Вспомнил, как сидел тут пару недель назад, после пробежки, слушал плеск из ванной и воображал всякое.

Лена разлила по кружкам молоко. Турка глядел на белое пятно, обрамленное бледно-голубой каемкой. Смешно вообще-то. Как маленькие дети. Хотя кто они, собственно? И чем вообще взрослые отличаются от детей?

— Ты красивая, Лен.

— Спасибо.

— Что — «спасибо»? Это же не, как его... Не комплимент. Это правда.

— Мне приятно,— на лице Коновой проступила фирменная устало-грустная улыбка.— На самом деле я ездила в деревню не отдыхать. Забеременела. К бабке-травнице ездила. Несколько недель она меня изводила, и в итоге обошлось. Ошибка, что ли, как будто само собой рассосалось...

— Да ну! — Турка поперхнулся и закашлялся, взгляд затуманили слезы.— И после *этого* ты со мной... Блин, разве не страшно?!

— Я думала, ты более опытный. Но вообще-то у меня как раз такие дни, что залететь невозможно. Типа безопасные, понял?

— И такие, что ли, бывают?

— Ага. С Вадиком на живую никогда не было, всегда предохранялись.

Турку что-то прожгло изнутри. Конечно, он не первый. И какая разница? Но неприятно. Как будто чем-то липким вымазали, как будто он сам с этим Вадиком переспал.

Сигарета стала слишком уж тяжелой, а во рту от нее моментально связало, как от айвы, затылок налился тяжестью. Лена умело затягивалась, причудливо держа сигарету обеими руками. Дым она выпускала через приоткрытый рот, и постепенно кухня наполнялась сизым маревом.

— Это точно «Мальборо»?

— Не совсем,— хихикнула Лена. Зрачки у нее были какие-то особенно большие, как в темноте. Конова сделала затяжку, притянула к себе Турку. Поцеловала и выпустила дым в рот оторопевшему парню, и от этого у него вновь все зашевелилось в штанах.

— Прикольно? Знаешь, что было дальше? Маме стало еще хуже, вызвали скорую. Врач сделал ей несколько уколов, но она не захотела ложиться в стационар.— Конова хихикнула.— Наверное, испугалась, что дядя продолжит в ее отсутствие.— Губы у нее дрожали и расползались, но девушка все равно упрямо подносила к ним желтый фильтр с точечками. Турке казалось, что его голова превратилась в воздушный шарик, наполненный гелием. В ушах шумело, а во рту пересохло.

— Я сейчас. В туалет схожу,— за Турку будто незнакомец говорил, со стороны. «Может быть, он прячется в шкафу или за обоями»,— мелькнула мысль, и Турка тоже хихикнул. Лена тряхнула волосами и опять затянулась.

В туалете шумел бачок, капала вода из тронутого ржавчиной крана. Турка чуть не попал прямо на крышку. Усмехнулся, поднял заодно и пластиковый ободок. Бледная струя смешалась с чистой водой в колене унитаза.

Турка дернул бомбочку слива, поплескал в щеки над раковиной. В зеркале — лицо, слишком бледное, синие тени под глазами. И улыбка, как у дауна.

Турка оглянулся. Сзади никого — это его, что ли, отражение?

Как-то раз Турка с приятелем привязали к хвосту собаки жестянку. Животное побежало, испугалось, и грохот заставлял его бежать все быстрее и быстрее. Сейчас сквозь стену доносились похожие звуки.

Лена опиралась на подоконник, вывернув кисти, и Турка подошел сзади. Девушка так и не надела платье, все еще была в одних трусиках, мобильник на столе разрывался от музыки.

— Ты чего? Торкнуло, улетел?

— Куда улетел? Чо ты за хардкор врубила, на мозги капает...

— Слышь! Это «Rise against», между прочим. Бонусный трек, «But tonight we dance».

— А-а... Давай еще раз, Лен?

— Нет. Тетя скоро должна прийти. Да сядь ты!

Турка плюхнулся на табуретку и уставился перед собой. Почему-то хотелось вертеть носом, и от этого внутри черепа перекатывался тугой ком, оттягивая желудок вниз. От музыки на языке возник кисловатый привкус, как будто батарейку лизал.

Перед Туркой появилась кружка. Он машинально отпил.

— Горько...

— Без сахара. Пей! Хотя есть ли смысл,— протянула Лена и тоже захихикала. Потом открыла окно нараспашку и куда-то ушла, будто бы выпорхнула за подоконник. Турка уткнулся лбом в клеенку и закрыл глаза.

* * *

По-настоящему в себя Турка пришел уже дома. Хорошо, что успел от Коновой уйти до прихода ее тети! И только дома до него дошло — трава. Они курили марихуану. И что только в голове у этой Коновой?

— Но ведь ничего же не произошло! — пробормотал он. Родителей еще дома не было, и Турка решил немного вздремнуть.

...Вместо Ленки Турку оседлала Мария Владимировна, которая вдруг схватила его за плечи и стала трясти, как куклу. Турка вскрикнул и широко раскрыл глаза.

— А где училка?

— Какая училка? Что за бинты? — спросил отец. Он сидел на краю дивана и встревоженно изучал физиономию сына.

— Ударили стулом. В школе.

— Великолепно. Так теперь в учеников впихивают знания, да? Особо сложные теоремы?

— Пап, ты только не кричи так...

— Да я пока нормально разговариваю!

— От каждого шороха череп трещит.

— Сотрясение, конечно! К доктору надо.

— Да я был... Там мазь надо купить, листок на комоде...

— Что с ним? Он живой?!

— Мать, вишь, напугал,— вздохнул отец.— Живой, что ему сделается. Голову немного поцарапал. Перевязку-то кто делал, врач? Что-то криво. Руки у них у всех из жопы растут!

Турка лишь поморщился, вспомнив глупую, прокуренную улыбку Коновой.

Отец не успокаивался:

— И что же ты думаешь? Три недели балбесничать теперь? До конца недели посидишь, не больше! И уроки должен узнавать у Вовки, все разбирать самостоятельно. А то я тебя знаю! Год пролетит — не успеешь заметить. А у вас экзамены выпускные, аттестат получать. Ты же хочешь в нормальный колледж? Или в ПТУ пойдешь? Может, сразу дворы мести?

— Какие дворы, пап! Ну посижу немного, оклемаюсь... Я ж не маленький уже!

— А почему же ты все время в драках? — спросила мама. Она стояла в дверях и вытирала полотенцем тарелку, переводя взгляд с сына на мужа и обратно. Турка поглядел на нее, заметил мешки под глазами — прямо синяки. И какая-то она высохшая, похудела, что ли. Турка хотел спросить, как там, нормально ли мама съездила в больницу, все ли хорошо. Но передумал и махнул рукой:

— Да что вам рассказывать? Ну в меня стулом швырнули...

— Господи, Артур!

— Именно! Уж расскажи, будь добр! — взревел отец.

Турка рассказывать что-либо отказался. Родители еще немного пошумели, он тоже поорал — отвел душу.

В конце концов Турка скрылся в своей комнате, хлопнув дверью. Упал на диван и долго лежал, мечтая уснуть.

* * *

Три дня спустя Турка заглянул к Вове. Тот рассказал, что в школе все замерло. В коридорах тихо даже на переменах, Тузова и компании нет.

— Пару дней как в раю. А то все время думаешь — что они там еще затевают? Козлы...

Турка бегал на стадионе, но Конова не приходила. Он и к ней заглядывал, звонил, стучал — никто не отозвался. Даже сосед — и тот не вышел.

Вроде бы Лена еще что-то рассказывала. И что произошло потом, после того, как он отключился? Хотя какая теперь разница. Может, и вовсе не стоит общаться с ней.

Как бы там ни было, Турка все-таки пошел в школу. Решил заглядывать на важные предметы, вроде русского, матеши и физики. Ну и на уроки Марии Владимировны тоже.

— О, Артурчик, ты уже выздоровел? — скрипела Дина Алексеевна.— Как раз вовремя! Нельзя дома засиживаться, у нас ведь ГИА! Нужно готовиться. Ты новые темки самостоятельно изучал?

— Нет,— честно признался Турка.

— Ну ничего. Да мы сейчас начнем повторять, а ты мальчик неглупый, поймешь. Да там простенько все! А почему ты кепочку не снимешь?

— Так у меня там пластырь...

— Ох, не по-христиански это, конечно, сидеть в головном уборе в помещении, ну да ладно. Причина-то уважительная, а то этот ходит в шапке, Либерман с одиннадцатого «А»! Что за мода!

Больше всего Турку смущало то, что Крыщ, Рамис и Тузов снова хихикали на задних партах. Отсутствовал Шуля, но это утешало слабо. Конова сидела с таким видом, как будто вообще не знает Турку. Даже взглядом не удостоила.

«Что, если она сумасшедшая?»

Турка никому не рассказывал про секс. Да и зачем? Кроме того, Вова все равно не поверит. Хотя говорит, что гулял с Хазовой на выходных, а сама Рита вон как светится. Живая, веселая, полная противоположность Коновой, которая снова отгородилась от мира наушниками.

Мария Владимировна как ни в чем не бывало вела историю. Давала лишь сухие факты, отстраненно, без всяких вопросов и без эмоций. Вовка даже предположил, что ее подменили киборгом — губы без привычной яркой помады, высокие скулы едва-едва присыпаны пудрой, веки лишь слегка покрыты тенями. Вдруг она уже подала заявление? Наверное, нет. Хотя сразу в любом случае не увольняют.

А вот Волу все было нипочем. Он продолжал швыряться бумажками, кусочками жвачки и прочей дрянью, хихикал с красной мордой. Но Мария Владимировна не обращала на него внимания. Изредка кто-нибудь шикал на него, а Вол либо посылал, либо задавал привычный вопрос: «А чо-о?»

На ОБЖ продолжали тренироваться в сборке-разборке автомата. Почти все пацаны и некоторые девчонки принимали в этом активное участие.

Пенал с принадлежностями, шомпол, крышка ствольной коробки, пружина (возвратный механизм), затворная рама с газовым поршнем, газовая трубка — все это мелькало в тонких пальчиках Ковалевой, местной звезды театрального кружка. Вечно в каких-то сценках играет, на всех праздниках, и вдруг — на тебе. Оказывается, «калаш» собирать умеет. Алик тоже занят в драмкружке, а в последнее время они ходят туда вместе с Прохановым, видно, уже готовят что-то к Новому году. В прошлом году было какое-то представление дурацкое; Турка так и вовсе не понимал, зачем каждый раз показывать одну и ту же нудятину. Хотя все лучше, чем на уроке сидеть.

В какой-то из дней (в четверг, что ли, как раз уроки были не особо важные) Турка в школу не пошел. Но дома сидеть надоело, и он решил прогуляться.

Конечно же, заглянул на стадион, а потом и к Ленке. День был пасмурный и туманный, как будто вечные сумерки повисли в воздухе и никак не опустятся. По дороге встретил Лариту. Она не ответила на приветствие Турки, прошла мимо и даже не поглядела. Губами шевелит, взгляд остекленевший, вся помятая, потрепанная, как будто только с сеновала слезла. Турка поглядел ей в след и пожал плечами.

«Под кайфом?»

Турка долго мучил звонок Коновой. Вот зачем все усложнять? В груди возник колючий комочек, как будто что-то скоро должно произойти.

Снова никто не вышел, не ответил. Турка спустился по ступенькам и вывалился во двор. Подумал вдруг, что с Коновой все не так, как с другими людьми,— у Лены Турка даже номера телефона не взял. Почему? Во-первых, голова «дырявая» была, забинтованная. Во-вторых, неожиданная близость. Трава эта, опять же, выбила из колеи. А еще раньше, до этого, Турка побоялся спросить: вдруг отказала бы?

Он постоял немного, затем опять куда-то побрел, вокруг туман как будто, и точно такой же в голове. Ноги сами вели к дому Марии Владимировны. Может быть, она опять куда-нибудь пойдет, мало ли.

Странное чувство, как будто это уже было. Турка дотронулся до кепки, потер висок.

Возле подъезда стояли машины, пустые, с забрызганными стеклами и тонированные дочерна. Турка прошел вдоль козырьков подъездов и ржавых сточных труб по тротуару, к последней двери. Красная «десятка» принадлежала кому-то из жильцов, а на сером «форде» ездила сама Мария Владимировна. Вовчик еще спорил с Аликом на тему, что лучше, «форд» или «фольксваген».

Мужик со щетиной и морщинистым лицом вышел из подъезда и зачиркал зажигалкой. Турка рванул к пищащей двери и успел проскользнуть внутрь. Он поднимался, лихорадочно вспоминая этаж, номер квартиры и внезапно растерялся.

Невозможно вспомнить то, чего не знаешь. С чего он взял, что уже был здесь? Наваждение прямо-таки.

Турка присел на подоконник, не доходя до четвертого этажа. Даже сюда снизу тянуло мочой, а из квартир смердело чем-то вроде протухшего борща. Банка «Нескафе» с окурками воняла тут же, на подоконнике. Сквозь щели в окне прорывался сквозняк, но и он положения не спасал.

Хлопнула дверь, послышался топот сбегающих ног.

— Артур? Ты, что ли? — Турка вздрогнул и обернулся. Воскобойникова?

— Привет, Алин... А я даже и не знал, что ты тут живешь,— Турка потер затылок. Бинтовать голову уже не требовалось, но без пластыря было не обойтись. Пришлось выбрить волосы вокруг раны, чтоб было не так больно отрывать ленту. Отвратно, но пока только так. Благо кепкой скрыть можно это безобразие.

— Ага. Вот так учишься с людьми девять лет и ничего про них не знаешь,— улыбнулась она в ответ.— Ты чего тут забыл?

— Ты с Марией Владимировной в одном подъезде живешь, получается?

— Угу. Так ты к ней, что ли?

— Я? Нет, вообще-то нет. Хотя, может, и да,— смутился Турка.— Ты сама-то куда идешь?

— В магазин. В школе-то сегодня что было! Вол снова с географом сцепился, опять они подрались. Еще математику чуть не сорвали. Дина Алексеевна опять разошлась со своим ГИА, а Кондратьева засмеялась, что-то ей в голову взбрело. Ну и в итоге начали они пререкаться, слово за слово. Ты же Лизку знаешь. Никогда первая не заткнется!

Турка смотрел на Алину, сравнивал ее с Коновой. Конечно, как говорит Вовка, «вдуть можно». Но особых чувств Воскобойникова не вызывает. Грудь приличная, попка упругая такая, джинсы оттягивает, и еще родинка над верхней губой, маленькая.

— Она на одном этаже с тобой живет? — кашлянул Турка, отгоняя похотливые картинки.

— Нет, на пятом. Да зачем она тебе?

«Надо же, совпадение опять. И эта на пятом живет. Так, может, Валек тогда приезжал к Алине на колымаге своей?»

— Поговорить.

— Она опять, что ли, за старое взялась? — усмехнулась Воскобойникова.— Ладно, я в магаз.

— В смысле — «за старое»?

— А ты не в курсе? — Алина глянула по сторонам, сделала шажок к Турке и понизила голос до свистящего шепота: — Мария Владимировна мутила с учеником!

— Что?! Бред-то не неси, Алин!

— Я тебе отвечаю! — девушка округлила глаза. Блестящие серые пуговицы, обрамленные густо подмазанными ресницами с комочками туши.— И сейчас вот... Сейчас с одним встречается,— Воскобойникова покраснела, голос у нее задрожал.— Да об этом уже вся школа судачит!

— Сплетни,— Турка недоумевал, чего это Алина так волнуется. Даже если и мутит там с кем-то Мария Владимировна, то... какая разница в общем-то?

— Нет, говорят тебе! Не сплетни. Она приехала из Кирова, потому что никто ее не захотел там брать на работу. Шашни она водила, говорят тебе. А неделю назад ее на рабочем месте застали с парнем, ну, с Кучеровым, из одиннадцатого. Дура, думала, что никто ничего не узнает, потаскушка! — выплюнула Алина, яростно одергивая ремешок сумки. Грудь у нее вздымалась и опадала.

— Да она тебе просто не нравится. По-твоему, она реально с Кучеровым мутит? На фиг он ей сдался?

— Вот и спроси,— набычилась Воскобойникова.— Мне она не нравится, а для вас, козлов, это, конечно, норма! — сказала Алина.— Был ты, когда она эту дичь втирала? Про Бога, на обществознании? Прошмандовка, по-другому не скажешь. Ничего, ее еще уволят... Мы с девчонками уже замутили кой-чего... Уже и учителя знают! — Воскобойникова сбежала вниз по лестнице и крикнула уже снизу: — Чао!

Турка в растерянности глядел Алине вслед. Интересно, у всех женщин в голове такая каша? Дикая смесь сплетней, фантазии и собственных домыслов?

Мария Владимировна и Кучеров. Нет, ну Алинка, понятно, бесится. А Кучерову школьницы и даром не нужны: ему отец «бэху» подарил. Так что можно студенточек кадрить.

Турка машинально поднялся наверх, что-то бормоча под нос и глядя на носки кроссовок. Совсем уж разваливаются, надо бы новые купить. Или эти помыть хотя бы.

— Привет, Давыдов.

— Ой, здрасте. Вы курите?!

— Ну,— пожала плечами Мария Владимировна. Лицо Турки залила краска. Историчка выглядела чуть более свежей, нежели вчера на уроке. В халатике стоит, тапочки в виде кроликов. Сверху куртка накинута, потертая кожанка.

— Не, я так... Просто странно. Учитель — и курит.

— Я обычный человек, ничем от других не отличаюсь,— улыбнулась Мария Владимировна.— Слышала, кстати, ваш разговор. С Алинкой.

— Ох, елки-палки! Блин, вы это самое,— она просто дура! Ну, Воскобойникова, вы ж поймите.

Сморозила глупость, сплетню подхватила, уж не сердитесь на нее!

— Она такая девушка бойкая. Со своим мнением. Я не сержусь, Бог с ней. Тем более на правду не обижаются. А тебе-то до нее что? Нравится?

— Мне? — оскорбился Турка.— Нет, что вы. Так это на самом деле?.. Да быть такого не может!

— На самом. Давай заходи-ка в квартиру. А то завтра весь дом будет судачить,— Мария Владимировна затушила окурок (на пятом этаже роль пепельницы играла банка из-под кукурузы «Бондюэль») и поманила Турку. Тот снова притронулся к затылку. Голова у него вспотела и побаливала.

Мог ли он мечтать об этом пару недель назад? Когда только увидел учительницу? Мог ли представить, что очутится в ее квартире, когда она впервые вошла в класс, потряхивая волосами?

Хотя не стоит ждать от этой встречи чего-то особенного. И уж тем более не стоит проводить параллели с Коновой.

— Входи, не стесняйся. На кухню иди, я сейчас.

Турка разулся — носки без дырок. Снова повезло. Кепку снял, скрепя сердце, не хотелось светить раной и пластырем. Но чужой дом (тем более ЧЕЙ!) — это все-таки не школа. Только спиной не надо поворачиваться к Марии Владимировне, чтоб она дыру в голове не увидела.

«Нельзя думать о ней как о телке»,— твердил внутренний голос. А второй голос с ним не соглашался: «Тебе же сказали, она крутила любовь со старшеклассником!»

Помимо этого нехитрого диалога, в голове у Турки роились самые разнообразные картинки. Мария Владимировна ведь переодевалась прямо за стенкой. Буквально в нескольких метрах от него она стоит голая — скинула свой голубой халатик, и на ней лишь красные стринги. Учительница надевает маечку (а лучше — коротенький топ, без всякого лифчика), поднимает вверх обе руки и...

— Ты чего стоишь? — Турка повернулся боком и остался стоять спиной к двери, возле окна.

— Кофе хочешь?

— Можно,— Турка сел. Щеки снова пылали. Мария Владимировна надела потертые джинсы и белую футболку с разноцветными кляксами. Капли и потеки складывались в причудливую картинку.— Хорошая у вас... майка.

— Модная, молодежная,— усмехнулась учительница в ответ.— Сахару сколько класть, Артур?

— Три ложки.— Турке непривычно было слышать свое имя из уст Марии Владимировны. В школе ведь одни фамилии. Турка глядел, как она снует между холодильником, раковиной и газовой плитой. Быстрые движения. Повернула конфорку, взяла нож, открыла хлебницу, закинула хлеб в тостер, заглянула в холодильник. Вытащила плавленый сыр «Виола» в пластиковой ванночке.

— Как там рана твоя, заживает?

— Терпимо, заживает. Голова побаливает только.

— Ничего, пройдет... — электрический чайник шумел, закипая. Турка и впрямь чувствовал себя скованно. И всякие темные мыслишки никак не оставляли. Да что ж он за человек такой? Правду, видимо, Ленка говорила, что мужикам только одно и нужно.

Мария Владимировна наклонилась и выбросила комочек золотистой фольги в мусорную корзину. Прямо перед Туркой очутились круглые ягодицы. «А если бы она осталась в халате?»,— подумал он и снова почувствовал шевеление в штанах.

Мария Владимировна заварила смолотые в пыль зерна крутым кипятком. Турка помешал ложечкой сахар, подул на край кружки и отпил. Очень даже неплохо.

— Вкусно? Я растворимый стараюсь не пить. Его, говорят, из тако-ой гадости делают. Что это ты так на меня смотришь? Ну да, это правда. Спросишь — зачем я тебе это рассказываю? Да мне плевать. Кроме того, ты не похож на человека, который будет трепать языком. А еще, если знает Алина, то, наверно, и остальные уже в курсе. Ты хороший парень,— Мария Владимировна облизнула губы,— правда. Меня тронула твоя забота. Помнишь, машина эта? — усмехнулась учительница.— Наверное, я недолго тут проработаю, а может, вообще уйду из учителей. Надо оно мне, скажи? Другую работу найду, не в школе. Сама виновата, мама-то отговаривала. У тебя-то с семьей как? Нормально?

— Так-сяк,— буркнул Турка. Ему вдруг сделалось стыдно. Еще год назад — страшно представить — он и вовсе не задумывался о том, что учителя — это тоже люди. И дело тут даже не в возрасте. Как будто преподаватели — роботы, которых штампуют на каком-то захудалом, советском еще, заводе. А какое у андроидов может быть прошлое? Может ли у них быть самостоятельная жизнь, отделенная от «ценностей» школы: строить, воспитывать, задавать «домашку», оценивать?

Да разве у них в школе есть учителя, вызывающие симпатию? Постоянную, а не эпизодическую? Пожалуй, нет.

— Ну проблемы у каждого есть. Семья-то полная? А то я без отца росла.

— Да. Папа и мама. Ссоримся иногда. Ну я вообще-то только недавно встал на путь исправления, взялся за ум, типа. Пока что-то не шибко получается.

Мария Владимировна кивала с пустым взглядом, совсем не слушая. Турка осекся и замолк. Так же, глядя в одну точку, она начала говорить:

— Та история... Он был чуть постарше тебя. Симпатичный, высокий. И начитанный. Что-то такое в нем ощущалось, настоящее, он возвышался духовно над остальными учениками. Вернее, я так думала, что он возвышается... Да я его и не воспринимала как мальчишку, слишком уж он взросло выглядел. В Кирове, кстати, школа более дружная. Хулиганы тоже есть, само собой, но не так, как у вас. А еще директор сволочь тут. Поговорила я с ним и поняла, что ловить здесь особо нечего. Опять словечки мои, уж прости! Я себя на свой возраст не ощущаю. Сама бы еще училась и училась, но вот взрослая жизнь придавила рано. А когда сверху покрываешься скорлупой этой «настоящей жизни», ребенок, что всегда внутри нас, начинает бунтовать и прорывается наружу... Оттого все шалости.

— Чего? — Турка глотнул и поморщился, постучал в грудину. Горячий кофе прямо обжег изнутри.

— Это я так, понесло. У тебя девушка есть?

— Есть,— Турка отвел глаза.

— Красивая, наверно. Ничего, школу закончишь — вот тогда и начнется нормальная жизнь. Поступишь в университет.

— Да я в колледж собирался... При ДГТУ. Или еще куда.

— А, ну потом на высшее пойдешь ведь? Я вижу, ты неглупый. При должном старании сможешь учиться, диплом получишь.

— Угу,— вздохнул Турка. И опять стало не по себе. Возбуждение уже давно сошло на нет. Все-таки приятно даже просто *смотреть* на Марию Владимировну, и тем более представлять, что она никакая не учительница, а подруга, например.

— Я бы не хотел, чтоб вы увольнялись. Мало молодых учителей. Хотя у нас и географу всего ничего лет. Он нормальный мужик, Олег Анатольевич, и в футбол с нами играет, и особо не прикалывается по учебе. Лишь бы не орали, вот его главное правило. Но даже его мы постоянно нарушаем. Все дело в толпе, наверно, да? Наверно. Вот у нас подгруппа по английскому — все тихо сидят, молча. Пускай не все понимают этот английский, да и не нужен он особо, но дисциплину соблюдают. А когда все в сборе... Может, надо классы сделать по пятнадцать человек?

— Толпа размывает ответственность,— вздохнула Мария Владимировна.— Сама я увольняться не очень-то хочу. Но, видимо, придется. Что, этот ваш Сулейманов — такая важная шишка? А по виду и не скажешь. Его отец большой человек?

— Не знаю,— медленно ответил Турка и с удивлением поглядел на учительницу.— Так-сяк вроде. А что?

— Не хочется об этом говорить... Но не удержусь. Ваш директор... Начал мне говорить про ремонт, про то, что родители помогают, следовательно — тьфу! В общем, он дал мне понять, что из-за какой-то там поднятой юбки не собирается затевать целый скандал. Конечно! Ему важнее статистика и спонсоры, я его ох как понимаю. Знаешь, Артур, почему я с тобой это обсуждаю? Да потому, что тут больше и поговорить не с кем. Подруг у меня тут нет. Никого нет.

— Вам не обязательно это рассказывать. Я как бы это... ну, сами понимаете. Неприятно, в общем.

— Ага.

Турка проглотил остатки чая. За окном потихоньку собиралась призрачная дымка тумана. Скоро стемнеет. Некоторые жильцы уже зажгли свет и теперь плавали в желтых прямоугольниках окон, как рыбы в тесных аквариумах.

— Ладно. Допил?

— Ага. Спасибо. Ну мне пора, наверное. А то дома ждут.

— Конечно, иди,— кивнула она и тяжело вздохнула. Если бы только это была Конова, он бы обнял ее, утешил.

«Ей не впервой обниматься с собственными учениками. Это твой шанс!»,— шептал внутренний голос. Она поднялась из-за стола, улыбнулась, будто бы виновато. Турка в ответ раскинул руки. Сам не ожидал от себя такого.

И уж тем более не мог предположить, что Мария Владимировна с готовностью откликнется на этот жест.

Она и ростом-то почти такая же. Уткнулась подбородком в плечо, прижалась грудью. Несколько раз судорожно вздохнула, и по телу Турки побежали мурашки. Он как бы невзначай переступил с ноги на ногу, и прижался к *девушке* чуть теснее. Думал, уж не поцеловать ли ее. Сейчас он в самом деле воспринимал Марию Владимировну как *девушку*.

Она еще раз вздрогнула и потерлась о Турку. Он почувствовал упругую и в то же время нежную, мягкую грудь, и чуть не застонал.

«Вдруг она захочет чего-то большего, чем объятия?»

— Ты чего дрожишь? — хрипло сказала Мария Владимировна. Она отстранилась от Турки, но ее пальчики продолжали лежать на его плечах, перебирая ткань футболки.

— Не знаю,— теперь Турка уже не опасался того, что она почувствует эрекцию. Черт с ним. Лишь бы только не ляпнуть чего-нибудь такого. Девчонки, они обидчивые. Вот и Конову если взять — сумасбродка!

— Я знаю, чего ты хочешь,— прошептала она ему в самое ухо.— И самой неохота останавливаться на этом...

— А? О чем вы?

— Я должна терпеть и не увольняться. Закалять характер. Нельзя просто так взять и уйти. Ты чего?

— Да так,— наваждение схлынуло, и Турка выдохнул, чувствуя, как разочарованно стучит сердце в груди.— Я пойду, наверное.

Он отстранился от Марии Владимировны и чуть ли не бегом кинулся в прихожую. Быстро натянул кеды и стал возиться с грязно-серыми шнурками.

— Артур, подожди. Хоть свет зажгу.

— У нас завтра вашего урока нет?

— Вроде бы нет, не помню точно. Да что с тобой такое?

— Ничего. Забыл там кое-что... сделать. Домой, в общем, надо.

— Ладно, иди. До свидания,— растерянно протянула Мария Владимировна, щелкая замком и снимая цепочку. Выскальзывая из квартиры, Турка отметил хлипкую дверь и ненадежный замок. В такой халупе лучше отгородиться от алкашни металлической дверью и рамочным цилиндровым замком с толстыми пальцами язычков, а не английским «шпингалетом».

— До свидания, Мария Владимировна.

— Пока, Артур.

* * *

Дома Турка первым делом взял из шкафа чистые трусы. О подобных «фэйлах» он слышал от старших приятелей. Еще «ВКонтакте» попадались группы с подобными историями. Появилась эта тема совсем недавно, социальная сеть, и все как помешались на ней.

Боксеры с темными скользкими пятнами Турка затолкал на дно бельевой корзины. Проверил щеколду на двери. Отец, наверно, как всегда, читает что-нибудь, а мама смотрит всякую хрень по «НТВ».

Турка открыл кран. Струя била в чугунную ванну, горячие брызги летели в разные стороны. Турка подождал, пока вода станет горячей, заткнул слив пробкой и перешагнул через бортик.

Что-то будет завтра?

ГЛАВА 11
ПРОБЛЕМЫ С ЗАКОНОМ

Вечером позвонил Вовка и рассказал про бедлам на уроках. Сначала донимали Дину Алексеевну. Кондратьева начинала, Тузов и остальные подхватывали. Легонько так, Мочалке уже под семьдесят — не дай Бог перенервничает, удар хватит там. А все потому, что она за последние две недели прожужжала все уши своим единым госэкзаменом.

Собственно, она сказала, что уйдет на пенсию только тогда, когда выпустит девятые классы — «А», «Б» и «В». У десятых-одиннадцатых алгебру и геометрию вела завуч. Строгая тетка, с такой не забалуешь. У нее все классы с медалистами.

— Шуля пришел ужратый. С бутылкой водки еще, с остатками. Вол тоже выпил, а остальные чисто ха-ха ловили. Ну, Мочалка чуть с ума не сошла. Визжала, слюной плевалась. Водовозов все уворачивался на первой парте — от ее руки в меле, от слюней и размахиваний,— смеялся по телефону Вова. Турка валялся на диване, на столе горела лампа. Он слушал и понимал, что в другое время тоже поржал бы. Но сейчас мысли были совсем другими, и он лишь угукал и фыркал в ответ.

— И вот, пошли мы потом на общество. Ну, там тоже чисто шумели. Как обычно, орали, бесились. Бумажками кидались. Эти козлы на меня полезли, но до драки не дошло, и стрелку забивать не стали. Тузов что-то шепнул Рамису, и тот быстро отстал. Хотя я уже не обращаю особого внимания на них, и если только что-то серьезное, то бычусь. Правильно, как думаешь?

— Правильно,— машинально ответил Турка.

— Короче, облили они портфель Муравья водкой. Вол внутрь прямо вылил чуть ли не полбутылки. Морда красная, как помидор, мать его! Сидит, хихикает.

— Как же они портфель у него забрали? Он же всегда с ним таскается.

— Да отобрали, лямку с мясом вырвали. Потом Вол поджег его зажигалкой. Нормально? Синий ранец его, обоссаный, окурки еще об него тушили... Полыхнул, как будто бензином облили, я тебе отвечаю! Уж не знаю, из-за водки или материал такой, горючий. Сейчас китайцы, знаешь, из какого дерьма штампуют? У меня тип, ну, друг — купил зарядное за сотку, на радиорынке. И что ты думаешь? Расплавилось! Хорошо, выключить успел, и розетка хотя бы не загорелась. Обои чисто немного потемнели, закоптились...

— А с портфелем Муравья чо?

— Да ничо. Сбросили с окна. Ну, он, как всегда, сквозь зубы пробормотал, что убьет всех, тряхнул своими волосиками и сбежал. Его матушка опять по ходу обкорнала, ну подстригла типа, ты понял.

— Осколком стекла? — спросил Турка, и они в унисон захохотали.

— Вообще-то жалко его. А что... Мария Владимировна?

— Ничего. Тихая. Ну сиськами трясет, как обычно. Эти-то с ее урока отпросились, приколи. Говорят, можно нам уйти, у нас там тренировка. Какая к чертям тренировка? Она и отпустила всю шайку. Только Шуля и остался, бухой. Храпел на уроке. Короче, веселый день. Хазова еще эта... Как думаешь, получится развести? Она нормальная на самом деле. И симпатичная. Гуляли с ней тогда, щупал везде, под майку залез ладонью, а она без лифана — нормал? Сидит такая на лавочке, будто не при делах. Поцеловать с языком только себя не дала, скромница фигова.

Турка хотел было рассказать о сегодняшнем приключении, но промолчал. А вообще-то он и сам до конца не верил в то, что произошло. Как во сне. Как тогда с Ленкой.

— Да, так всегда и бывает. Только пропустишь день-два — сразу движуха начинается.

— Ты завтра придешь?

— А фиг его знает.

* * *

Прошло еще некоторое время, и наступил дождливый, пасмурный октябрь. В этом году осень накрыла город своим цепким, влажным одеялом слишком уж рано. Затылок Турки подзажил, мазью пользоваться он перестал и нехотя пошел к врачу за справкой.

— О, а я уж думаю — куда вы запропастились! Как там наше сотрясение?

— Вроде здоров уже.

— Головокружения были? Рвота? Может, просто голова болит? — сыпал вопросами врач.

Турка потихоньку выложил ему, как и что. Врач хмурился, веселье с него слетело. Вышел зачем-то из кабинета, вернулся:

— Вам бы магнитно-резонансную томографию сделать. Шуточное ли дело! Конечно, о внутреннем кровоизлиянии речь не идет, но для профилактики... Сейчас всякое бывает. Вот пришел человек с болями, и что думаете, нашли у него? Опухоль, почти с грецкий орех! В мозгу. Ладно-ладно, вам-то такое не грозит. Делаем томографию-то?

— А дорого? — спросил Турка.

— Две тысячи. Плюс-минус. Что, много? Но ведь это здоровье! — всплеснул руками врач.

— Я подумаю, у родителей спрошу. Вы напишите, куда идти...

Врач еще долго распространялся на тему того, насколько опасными могут оказаться последствия, и что даже МРТ не всегда выявляет, есть ли патология, повреждены ли сосуды.

— У трех процентов из тех, кто переносит сотрясение на ногах, развивается хроника. Что это значит? Эпилепсия, например. Хотите такую радость?

Как-то в школе у одного типа был припадок эпилепсии. Физкультура, два класса. И вот бегали все, прыгали, а он упал и забился в конвульсиях, а изо рта побежали клочки пены. В начальной школе еще было дело.

— Да ну. Эпилепсия?

— Да. Посему я от всей души советую вам сделать томографию. Кроме того, хотите неплохие витамины, а? Любой невропатолог вам скажет, что это только в плюс! Сейчас эта фирма потихоньку набирает обороты, пока еще препараты не такие уж дорогие. Но организм держат в тонусе. Я сам принимаю.

Тут врач нагнулся, выдвинул ящик стола. Потряс в воздухе колбочку — пластиковую, с зелеными надписями и веточками какого-то растения, похожего на шиповник. Внутри — капсулки с порошком.

— Всего триста восемьдесят рублей. Со скидкой отдаю, у меня купон есть. Ну, как? — он поставил баночку на стол и резво кивнул Турке. Тот нехотя улыбнулся, а доктор затеребил бороду.

— Не, у меня и столько нет. Вообще только на проезд и осталось.— Турка покачал головой, разглядывая колбочку.

— Как знаете. Мое дело предложить. Адрес клиники сейчас напишу. На Добровольского, прямо где площадь, и чуть пройти от нее, туда маршрутка не доезжает,— врач принялся что-то быстро строчить на листке, черкать. Целую схему нарисовал.

— Ладно. Я у мамы спрошу и обязательно съезжу туда, раз вы говорите, что эпилепсия может быть.

— И она у вас непременно будет. О нет, я не пугаю! Шутка ли — сотрясение мозга!

* * *

Когда Турка рассказал дома, что и как, отец сразу начал плеваться. Мол, когда уже этих проходимцев рассадят по тюрьмам. А вот мама, наоборот, выразила мнение, что врач чуть ли не живой пророк, истинная добродетель. Она серьезно встревожилась и говорила, что нужно поехать туда, на Добровольского, и сделать это МРТ, пускай хоть все пять тысяч стоит!

— Ты сама-то как себя чувствуешь? Поликлиника эта, анализы.

Мама как-то осеклась сразу и отвела взгляд.

— Нормально, сынок. Нормально. Пока еще проверяют, непонятно ничего...

Турка, естественно, никуда не поехал и вернулся к тренировкам. Отдохнувший, изголодавшийся по нагрузке организм с готовностью откликнулся на занятия. Мышцы снова налились былой силой, привычная крепотура в широчайших трицепсах и кубиках пресса радовала Турку. И бегать он снова начал на стадионе. Треклятый пес вроде как немного привык к нему, и уже не лаял, а только глухо ворчал.

Конова на «Труде» не появлялась, а в школе ни с кем не разговаривала. Турка несколько раз пытался завести разговор, подсаживался к ней. Уговаривал, увещевал — все впустую. Как можно выяснить отношения с мраморной статуей?

Как-то на перемене Вовку с Туркой окружили знакомые лица. Их обладатели протянули руки, поздоровались. На физиономиях Крыща и Рамиса появились обычные ухмылки. Китарь маячил тут же, он зарос щетиной по самые глаза.

— Да ладно, что напряглись? Сегодня мы добрые,— И обступившая их компания засмеялась.— По делу подошли. Тема такая — играть будем в футбик с одиннадцатым «А». Все серьезно, на базе «СКА», на зеленке. Два тайма, по сорок минут.

— А почему не сорок пять? — вставил Кася.

— Потому что ты, лупоглазый, и полчаса не выдержишь в нормальном темпе. Сдохнешь сразу! — В подтверждение слов Тузова, Рамис ткнул Касю локтем в грудь. Тот поморщился:

— А, ясно. Да Рамис, хватит, да чо ты... Ладно тебе!

— У-у! Да не ссы, ушастик.

— Играем на деньги,— Тузов шмыгнул носом.— Или на ящик «Пепси» играем, там как получится. Короче, надо скинуться по сотке минимум.

— Они же там все сборники. Два человека в училище олимпийского резерва собрались идти,— протянул Вовка.

— Ты, Гнич, рот закрой! Не с тобой разгофаривают!

— Андо, успокойся,— Тузов глядел на Турку исподлобья.— Ну, ты-то согласен?

— Я не Гнич.

— Я тебе щас в голову дам. Серый, слышь, чо он моросит!

— Никто не моросит, остынь,— придержал Рамиса Тузов.— Так что, согласен?

— Играть? — сказал Турка — Или платить?

Крыщ буравил взглядом Вовчика. Остальные топтались на месте, чесали затылки.

— Вы ж понимаете, что без мясорубки не обойдется.

— Надо думать,— пожал плечами Турка.— На стандартном поле, одиннадцать на одиннадцать? И с заменами?

— Да, с заменами,— сказал Тузов.— Только нам нужно нормально играть, собраться всем. Я как бы только у вас спросил. Остальные если не приходят — получают в череп.

— Дело не в том, чтобы прийти,— вздохнул Турка. Ему вдруг стало душно, а Вовка переступал рядом с ноги на ногу, подергивая не знавшие бритвы волоски на подбородке.— Я скидываться не буду. Играть согласен, а денег у меня нет.

— Банк нужен. Надо сейчас собрать, а то после игры, если проиграем, фиг кто скинется.— Затренькал звонок, перекрывая голос Тузова.— Короче, подумайте там, туда-сюда,— кивнул он.— Но ты сдаешь по-любому, Гнич, понял?

— Я не Гнич,— снова сказал Вовка.

— Серый, дай я ему всеку!

— Да остынь ты. Короче, думайте. До завтра срок вам, решите там все. Завтра тренироваться пойдем.

— Хэ! — Рамис замахнулся на Вовку, тот перехватил его руку и толкнул дагестанца в грудь.

— Э, ты чо...

— Успокойся! — рявкнул Тузов.— Матч в субботу, если что.

Рамис прожег Вовчика злобным взглядом. Тот глаз не отвел, но выглядел каким-то сдувшимся, даже посерел немного.

И они медленно, шаркая ногами, разошлись.

— Я не буду играть,— тут же заявил Вова.— Пусть проигрывают, если кайф. Нет, я не то что боюсь —

мне не хочется иметь общих дел с этими уродами! — Пацан в сердцах пнул каштан, и тот, резво подпрыгивая, скрылся в опавшей листве.— Пусть что угодно лепят. К дракам я готов, и деньги отдавать тоже не собираюсь. Вдруг они вообще обманывают? И скинулись ли сами? Нет, пошли они в жопу!

— Правильно, конечно. Но просто поиграть-то можно. Кто сказал, что мы будем платить? Я скажу Тузову, что мы играем, но не платим. Пусть его шестерки деньги несут или еще кто.

— Я с ними вообще не хочу связываться. Ни на каких условиях.

Турка мало-помалу все-таки уговорил Вовчика сходить хотя бы завтра на тренировку и посмотреть, что к чему. В футбол поиграть, в конце концов. До выходных еще масса времени.

— Ладно. Контрольная еще эта вонючая по матеше. И по физике тоже. А еще химия! Я что-то про нее вообще забыл. И вообще, погода хреновая, зима, блин, скоро. Короче, жопа полная. А я ж еще на подкурсы записался.

— Зимой?

— Ну да.

Про физику с химией Турка и впрямь забыл. Про подготовительные курсы его мама тоже говорила, но Турка считал, что они для ботанов.

По дороге Турка встретил Муравья. Тот в школе уже давно не появлялся. За плечами у него болтался рюкзак — все тот же, с прожженными дырками, обуглившийся, в подтеках. Молния наружного кармана была зашита нитками.

— Привет! Ты что, газеты разносишь?

— Аботаю,— Муравей говорил редко, а если и случалось, то сильно картавил. Турка пошел с ним рядом, сохраняя непринужденный вид. Он почему-то почувствовал себя куда как сильнее и удачливее Муравья.

Хотя немудрено. Муравья все бьют, насмехаются, тычут пальцами и презирают. Будет ли у него девушка? Турка не мог себе представить девчонку, которая водилась бы с таким пацаном. Хотя, говорят, даже Бэтман нашел себе какую-то шизу, местную дурочку. Ну, им, наверное, неплохо вместе.

— Сколько платят?

— Наамально. Тии часа походиу, сто пятьдесят ублей аработау.

— Ну, неплохо. А чо в школу не ходишь?

Муравей промолчал. Вечно искривленные губы начали расползаться в стороны. Маленькие глазки скрылись под навесом белесых бровей. Турка некоторое время ждал ответа, а потом добавил:

— Некайф, наверное, да? Чего там делать, понимаю. Ты куда после девятого пойдешь?

— В а-амию.

— В армию? А ты какого года?

— Девяностого.— Турка присвистнул.— Так тебе восемнадцать, что ли, уже будет?

— Да,— сказал Муравей. Турка думал о том, что человек не может выглядеть так в семнадцать лет. Это что ж такое получается? Взрослого, можно сказать, человека вовсю унижают. Нет, разве может быть Муравью восемнадцать лет?

Припомнил, как на него орал Олег Анатольевич. Сидели тогда на географии, а он кричал на Муравья: «Женя, ты должен был стать на учет в военкомате!»

— Ты сам как? Нормально дела-то? В армию хочешь идти?

— Наамально все. В аамию не хочу. Бэтмана вот не взяли.

— Так он же того — псих.

— Я с ним не гуляю,— вдруг сказал Муравей. В тусклом доселе голосе теперь явственно проступил оттенок насмешки и презрительности.

— Не гуляешь? Ну и пральна... Слушай, а мы в футбол будем играть. Хочешь, приходи. Вратарем будешь.

— Нет. Они на меня обзываются. Ну ничего, я еще им... — тут он начал что-то шепеляво бормотать, а Турке стало не по себе. Да, вряд ли Муравья заберут в армию.

— Ладно, Жень. Мне направо теперь. Давай, удачи с газетами.

Муравей не ответил. Он продолжал бормотать что-то насчет того, что он «всем им еще покажет, все будут его уважать».

Ноги сами привели Турку к Мебельному переулку. Проходя коротким путем, через темную арку (что-то вроде подворотни), он наткнулся на Шулю.

— Э, пацан! Есть чо по мелочи?

— Нету.

— Найду — лицо бью?

— Шуля, да это я. Прикалываешься, что ли?

— Кто — я? А, не разглядел сразу. Чо, как дела? Не хочешь с нами сейчас пойти? Ну, пацаны на машине скоро подъедут. Шалаву одну на хор собрались пустить.

— Уж не Лариту ли? — усмехнулся Турка. Они вышли из подворотни на свет. Шуля взобрался на ржавый остов лавочки без спинки и сел на корточки.

— Не, ты чо. Да она ж в роддоме щас, беременная.

— Кто — Ларита? Да ну! Я ее только на днях видел, никакущую.

— Отвечаю,— сплюнул Шуля.— Ну ничо, малóго сдаст в детдом и продолжит, ха!

— Так кого вы сегодня собрались развести?

— Катьку. Ты ее не знаешь. Она ничего, сиськи норм, рабочая такая телочка.

— Так вы ее вдвоем, что ли?

— Не, Валек обещал кого-то там еще подтянуть. Костяна, Тулу. Ей чисто пару бокалов шампанского дать — и снимай трусы. Может, подругу еще прихватит. Поехали, ты чего? Всерьез, что ли, этой хренью занялся, ну учеба, туда-сюда? Раньше мы как бывало, а? Помнишь, как «шаху» спалили? Этот дедок до сих пор не успокоился, по-моему.

— Не «шаху», а «Таврию»,— сказал Турка.

— А, ну значит «шаху» без тебя уже. Мы ее еще утопили в болоте... Погнали, а?

Турка подумал, что потом-то такой возможности не будет. Все-таки путь исправления и все дела, а класс выпускной...

Можно и гульнуть в последний раз-то.

* * *

Из глубины душной квартиры тянуло резкими духами, кухня дышала гарью. Гремел металл, и сначала слышно было только медвежье рычание, а потом Турка понял, что поют, оказывается, на русском. Что-то про тьму и «ржавую кровь».

— Ау, есть кто дома?

— Мальчики, м-ы-ы зде-есь! — пропели женские голоса. Хозяин хаты ухмыльнулся и подмигнул. У Тулы не хватало нескольких зубов, и стоило ему только улыбнуться, как его рожа сразу принимала зловещий вид хэллоуинской тыквы.

— Давайте несите пакеты на кухню! — кивнул Тула пацанам.— Эй, дурынды... Кофе, что ли, сбежало? Всю квартиру мне провоняли, курицы!

Бабы в ответ заржали, а Шуля отнес пакеты на кухню. Музыка долбилась в картонные стены, давила на виски вместе с духотой.

В зале накрыли стол, но куча всякой снеди аппетита не вызывала. Как будто девчонки в отсутствие кавалеров быстро все сожрали, а потом выблевали обратно в тусклые салатницы и блюда.

— Что празднуем? — спросил Турка, улыбаясь симпатичной девушке. Наверное, это как раз Катя. Шатенка, косметики не так чтобы много. Даже удивительно — ну никак она не подходила для этой компании. В короткой голубой юбке и серой кофточке, расшитой цветами. И это она супершалава? Да быть такого не может!

— О, новый человек! Штрафную! — прогудел кто-то из кресла. Турка повернул голову и вздрогнул. Сбоку от стола, ближе к шкафу, в кресле сидела еще одна девка. Полная, рыхловатая, и на лицо так себе. Маленькие глазенки, волосы вытравлены добела, и у корней желтый цвет смешивается с черным. Пылинки перхоти выделяются, за километр разглядеть можно.

Вот она, понятное дело,— дает с собой делать что угодно. А чем ей еще привлекать?

— Как тебя зовут? — спросила темненькая.

— Артур. Можно Турка.

— О, а мы сегодня как раз кофе в турке варили! — заржала толстуха.

— А вас как зовут?

— Меня Аня,— представилась шатенка.

— А я Катя,— хрюкнула толстуха.

У Турки моментально все смешалось в голове. Получается, Шуля и остальные собирались «пустить по кругу» эту белобрысую?!

И в следующее мгновение в ладони Турки появился стакан.

— Не, я не буду...

— Ты чего? Пей!

— До дна! До дна! — повизгивала толстуха. Ее громкий смех отражался от стен, звенел в пустых стаканах, вилки и тарелки дребезжали. Лицо порозовело — теперь чистая свинья.

— Вы чего тут разошлись? Сейчас все выпьем. Фига вы ему налили! Сразу бы целую бутылку дали... Давайте к столу! — командовал Тула. Валёк споткнулся и чуть не опрокинул стол. Шуля поддержал его и усадил на стул. Валёк тут же наклонился в сторону, как Пизанская башня. Катя выбралась из кресла, все расселись.

— Только давайте это орево выключим,— поморщилась Аня.

— Порево? Кто, с кем? — осоловело захлопал глазами Валёк. Все заржали.

Аня повозилась с колонками и спустя минуту в комнату ворвалось мощное вступление, гораздо более мелодичное, нежели в предыдущей песне. Она показалась смутно знакомой, и тут толстуха Катя рыгнула и заявила:

— Тю! Врубила этого педика своего?

— Это кавер, отвянь,— отрезала Аня, и подняла вверх руки, покачивая бедрами.

Шуля и впрямь выпил немного, глоток небольшой сделал. И не из стакана — Тула подал ему стопку. Разговор пошел про машины, затем про способы разбогатеть. Тула рассказывал, что собирается открыть свою автомойку, а все поддакивали и кивали. Выяснилось, что он сидел. Взломали замок, влезли в квартиру с пацанами, но ничего толком не взяли — хата оказалась не та, наводку сделали ошибочную.

Турка то и дело поглядывал на Аню. Она смеялась вместе со всеми и вроде как не замечала этих голодных взглядов. В какой-то момент она в упор поглядела на Турку. Тот уже немного осоловел и только улыбнулся в ответ, взгляд не отвел. Тогда она будто бы кивнула, едва заметно.

Хотя, может, это ему показалось.

Турка вдруг узнал песню, это была рок-версия «Careless Whisper» Джорджа Майкла. Одновременно он почувствовал, как об ногу что-то трется. Глянул под стол и увидел пальчики с бордовым лаком. Остальные были увлечены разговором, поддатая бегемотиха Катя громко хохотала, так что эта игра оставалась незамеченной.

Тогда Турка схватил Аню за ногу, а она зажала ладошкой рот и прыснула шутке Валька. Как будто ничего и не замечает.

Турка погладил кожу. Приятная. Туман в голове, пить, как выяснилось, он совсем отвык. Спорт же прочищает сосуды, вот и вставило как следует.

Он столкнул со стола вилку. Улыбнулся Ане и отпустил ногу. Девушка закусила нижнюю губку и сделала вид, что ее больше всего на свете интересует армия: лучше стало или хуже, после того как сократили сроки прохождения службы, осталась ли дедовщина? Турка в это время нырнул за вилкой. Увидел напротив себя круглые точеные коленки без колготок. Тут Аня будто невзначай раздвинула ноги. Турка забыл про вилку.

Увидел синие трусики. Даже красную кружевную каемку разглядел.

Но хмель от этого не слетел, и эффект был неполным. Тут уж Турка пожалел, что влил в себя даже эту малость.

— Братан, ты чо под столóм там? — прогудел Тула. Аня мигом положила ногу на ногу. Турка вздрогнул и ударился башкой об стол.

— Вилку уронил, — пропыхтел он, выпрямляя спину. Щеки пылали, Аня опять заливалась колокольчиком.

Примерно через час Катя и Тула переместились на диван. Начали целоваться, рука с наколками залезала то под маечку, то под юбку. Валёк ушел в другую комнату еще до этого. Несколько раз он чуть со стула не упал, засыпал на ходу.

Аня поманила Турку пальчиком. Он побрёл за ней на кухню, покачиваясь, придерживая руками стены. В какие-то моменты он был уверен, что они вот-вот рухнут, и весь дом сложится, как карточный домик.

Закрыли дверь на кухню. Аня жарко поцеловала Турку, с языком. Турка успел заметить зелёные циферки в окошке микроволновки: 20:53. Пока они целовались, тройка сменилась сначала пятеркой, а потом и семеркой. Он щупал грудь, но никакого возбуждения не ощущал, даже когда рывком задрал платье.

Увидел эти самые трусики — оказывается, спереди две вишенки. Аня отошла к кухонному столу:

— Ну? И чего ты застыл?

Турка осоловело глядел на девушку. И правда, чего он ждёт?

Подошёл ближе, погладил Ане бедро. Она задрожала всем телом. Турка подумал, что это довольно глупо — то, чем они сейчас занимаются. Возбуждение так и не приходило, с таким же успехом можно гладить спинку дивана, например.

— Ну же!

Турка на автомате расстегнул ширинку.

— Блин, ты же немного выпил! — с укоризной воскликнула Аня, приседая на корточки.— Ладно, сейчас...

Накатило дежа вю. Хотя ведь Турка уже это и впрямь видел. Да, Аня действительно настоящая профессионалка. Интересно, с кем бы она тут была, если б он не пришёл?

В стеклянный прямоугольник двери хлопнула чья-то ладонь.

— Откройте! Чо заперлись, а?

— Боже! — Аня выпрямилась так резко, что у нее щелкнула коленка.— Уведи его отсюда! — она надела лямки платья обратно на плечики.

— Да пусть...

— Ау, другим тоже отлить надо! — пинал дверь Валёк.— Открывай!

— Покажи ему, где туалет! Я так не буду!

— Ладно,— сказал Турка. Аня пристроилась на табуретке и потупила взгляд. Коленки вместе свела, эдакая послушница. Турка толкнул дверь. Валёк сделал шаг назад, ноги у него заплелись, и он рухнул всей массой на пол.

— Аугх-рх! Я тоже в сортир, пацаны...

— Туалет тут! — Турка попытался поднять Валька, но тот подтянул колени к груди и начал бурчать что-то неразборчивое. Турка постоял так над ним некоторое время, пнул его в сердцах ногой. Из зала неслись охи-вздохи. Турка икнул, вернулся на кухню и поплотнее закрыл за собой дверь.

* * *

После они с Аней сидели на кухне. На линолеуме блестели пятна пота, воздуха в крохотной кухоньке практически не осталось.

— Надо хоть форточку... открыть,— сказала Аня.— Духотища... Устал?

— Ага,— сказал Турка.

— Курить хочешь? Вот пачка лежит.

— Не, не хочу.

— Я тоже тогда не буду.

— Зачем ты вообще сюда пришла?

— Развеяться,— пожала плечами Аня.— Задолбало все.

Холодный воздух из черной форточной щели отрезвлял и успокаивал, но даже сквозь него проступала вонь не так давно сбежавшего кофе.

— Может, чаю попьем? — предложил Турка.

— Не хочу я ничего пить. Домой хочу.

— Ну так давай провожу. Пошли, хочешь?

— Мне накраситься надо и в порядок себя привести,— Аня потрогала губу.— Блин, ты прокусил, что ли... Ладно, подожди минут пять.

Она вышла, а Турка закрыл форточку. Так и простудиться можно — весь мокрый же.

Когда они уходили из квартиры, Катя все еще продолжала стонать и охать. Пока обувались в прихожей, успели наслушаться.

По дороге они практически не разговаривали.

— Может, ты зря это? Еще помиритесь с ним?

— Нет. Все мосты сожжены. С ним покончено! Сколько тебе лет, а?

— Шестнадцать,— соврал Турка.

— Маленький еще,— вздохнула Аня.— Моему двадцать два...

Обменялись телефонами — Турка попросил больше из вежливости или из принципа, потому что шансов замутить с Анькой, у него, конечно, не было.

— Ладно, дальше я сама, а то вдруг мать встречать будет. Задолбает потом,— Аня подставила щеку для поцелуя.— Давай пиши, если чо...

«Никто не знает, что случится завтра»,— подумал Турка, засовывая руки поглубже в карманы и глядя на удаляющуюся фигурку девушки.

* * *

Утром Турку никто не разбудил. Заиграл будильник, Луи Армстронг затянул «...что за чудесный мир», но Турка оборвал его и отключился.

Первый урок проспал, да и вообще идти в школу не хотелось. К черту эту учебу! Башка трещит, во рту сушняк... Хотя бывало в разы хуже. Вспомнил Аню. Вот чертовка, что она на кухне вытворяла! И как такую девушку можно бросить?

Хотя с кем ему сравнивать? Разве что с Коновой.

Турка поморщился. Не хватало только о Ленке сейчас вспоминать.

«Ну и рожа! В зеркало глядеть страшно...»

Он почистил зубы, чтоб перебить запах перегара. Сделал себе два бутерброда с сыром и маслом, и третий еще, сладкий — слой меда вывалил поверх хлеба. Капля попала на клеенку, Турка вытер ее и облизнул палец.

Надо в школу идти. Сегодня же там какие-то контрольные...

Наскоро выпил чаю. Второй урок как раз физика. Или нет? Короче, надо так надо.

Турка явился как раз к перемене. Обувь сменную он никогда не брал и теперь шел, оставляя за собой грязные следы на кафельном полу вестибюля.

— Эй, переобуваться думаешь ты, али нет? — проскрипела баба Клава.— Только полы вымыла!

Турка сделал вид, что не услышал, и влился в стекавший по лестнице поток. Толстая повариха распахнула двери, и часть народа ринулась к столовке.

— Ты чего на русский не пришел? У нас контрошка была,— сказал Вова.— Э, да что-то ты помятый. Бухал, что ли, вчера? Лигу чемпионов не смотрел? «Арсенал» разнес «Славию» 7 : 0, ЦСКА 1 : 2 с «Интером» сыграл, чуть-чуть до ничьей не дотянули.

— Нет, не смотрел. Бухал немного... А сейчас какой урок?

— Матеша. Потом физика — практическая. Потом химия — контрольная. Задачи, формулы эти... Я вчера весь вечер повторял. Вроде запомнил. Число Авогадро, мать его за ногу! И еще по матеше контрольная. Вся фигня в один день. С кем бухали-то?

— Шуля позвал. Телки там еще были.

— Шуля тоже не пришел, кстати. Слушай, эти уже докапывались ко мне перед уроком. Типа сегодня тренировка, футбол,— Вова помрачнел.— Деньги хотят, чтоб мы сдали. Я сказал, что все вопросы к тебе.

— Правильно! Пошли они в зад со своим футболом! — Турка скорчил гримасу. В животе ощущалась тяжесть. Бутерброды камнем лежали на дне желудка, и никакая «Активия» с ее полезными бактериями сейчас не помогла бы. Турка проклинал это пчелиное гудение коридоров, смешанное с воплями и смехом, его разбирало желание всадить кому-нибудь кулаком промеж глаз.

Физические лаборатории находились на первом этаже, рядом с кабинетом биологии и медпунктом, где сидела Таблетка. Турка машинально здоровался с проходящими мимо учителями и знакомыми пацанами, Вовку почти не слушал.

— А, вот он! — Тузов протянул жесткую, как доска, ладонь.— Что решили?

— Играть будем. Деньги — после игры. Оба.

— Не, так не пайдет! — завозмущался Крыщ.— Ми все скидувались, а ви нет? Пачему?

— Долго объяснять,— вставил Вовка.— Сложно все это.

— Ты чо гонишь?!

— Да успокойся,— отмахнулся Тузов.— Не, хотя бы сотку сдайте. Ну приколи, мы же сразу должны отдать деньги. Что, потом, что ли, собирать будем?

Прозвенел звонок. Большая часть класса медленно потянулась в кабинет. Физичка почти всегда опаздывает. Вова тоже хотел было проскользнуть к двери, но ему перегородил путь Рамис.

— Соберете с нас потом. Какие проблемы? — Турка пожал плечами.— Мы сдадим.

— Точно? — прищурился Тузов.— А то я тебя знаю — тысяча отмазок. Ладно, но вы с процентами тогда отдадите. Можете сегодня сдать по сотке, а после матча, если проиграем — будете должны по триста. Каждый. Согласны?

— Чо эт ты мне указываешь, организатор хренов?

— А чо ты бычишься?

— Ничо! — Турка задрожал. Башка у него разболелась еще сильнее. Он знал, что злится именно из-за боли, но ничего не мог с собой поделать, знал, что эта вспышка в дальнейшем может аукнуться.

— Я предложил вам сделать так. Вы выдвинули свои условия. Чем вы лучше остальных? Все ведь сдают.

— Короче, не грузи. Все сдают — покажи мне банк. Список у тебя есть с подписями? Ну и все. Сказали — будем играть, так чо ты на мозги капаешь?!

— Э, Серый, что это он так с тобой разговаривает? — протянул Рамис.

— Мальчики, вы на урок идете? — появилась Лола Францевна. Говорила она с легким акцентом — некоторое время жила в Германии, а родители ее и сейчас там. На кой черт ей тогда преподавать в российской школе физику, Турка не знал.

* * *

Практическую, а следом и лабораторную работу выполнил Вовка за двоих. Варианты были разные, но он не оставил товарища в беде.

Турка вообще не понимал эти формулы и закорючки, какие-то уравнения. «Четырьмя натянутыми струнами груз закреплен на тележке, силы вертикальных равны T1, горизонтальных — T2. Вычислите ускорение груза...» Какие-то массы, вес, плоскости, движение, натяжение, упругость. Когда прочитал последнее слово, подумал о попке Коновой и поглядел в ее сторону. Ленка облизывала кончик ручки и таращилась в свой двойной листок.

Потом была химия, и тут уже три человека помогали всему классу, поскольку никто так и не научился решать эти треклятые уравнения химических реакций, перемножать буквы на цифры. Там двойка, там четверка, умножается что-то, и в итоге левая часть должна быть равна правой.

Задачи для первого и второго варианта различались только цифрами. Так что и на этот раз Турка обошелся помощью Вовчика.

И на математике было то же самое. Вовка немного начал выходить из себя.

— Уже достал! Это же просто шиздец! Ты не готовился, что ли?

— Да чо ты как баба, реши мне третье задание! И первое ты как сделал? У тебя сколько получилось? А это число — в какой степени? Нет, вот это. В натуре так?

— В натуре,— устало отвечал Вова.

— Ребятишки, не разгова-аривайте,— тянула слова Мочалка.— Работа у нас какая? Правильно, са-мо-сто-ятельная. От слова «сам». Мобильники убираем, и чтоб никаких подглядываний в тетрадки! Никаких шпаргалок. На ГИА вам никто списывать не даст, вы что же это? Хазова! Быстренько тетрадочку мне на стол и тихонько продолжай работать.

— Дин Алексеевна, я не подглядывала!

— Тетрадочку заберешь после урока, все. Вол! Я тебя выгоню, если ты не прекратишь!

— А чо?!

Турка сидел над листком, подперев щеку кулаком. В голове пустота какая-то. Неохота ни о чем думать. Сейчас бы дома полежать, поспать. Конова, смотрика, тоже что-то решает. Может, она и не глупая вовсе, просто не хочет учиться.

«Не глупая, как же! Да она психопатка!»

В перерывах между уроками снова подходили «шантажисты». После математики Рамис повалил Вову, заломив шею в захвате. Турка не стал стоять рядом, а пробил ему в скулу — настолько его достали эти постоянные ухмылки. Дагестанец отпустил Вовку, а тот быстро вскочил на ноги и принялся отряхивать штаны. Рамис медленно поднялся. Бровь ему и в прошлом году рассекали — да и сейчас только зажила недавно. На паркет падали тяжелые, бордовые капли.

— Опять... — смуглое лицо Рамиса потемнело еще сильнее. Тузов наблюдал молча, без всякого выражения.

— Лежачего ударил! Сука!

— Пошли вы в жопу, уроды! Сказали — будем играть!

— Типерь уже насрать! — орал в ответ Крыщ.— После уроков чтоб подошли за школу. Ви все деньги СИГОДНЯ дадите!

— Пошел ты, обезьяна вонючая! За щеку тебе не дать?! — Турка готов был наброситься на армянина, но его кто-то удерживал, и он почувствовал себя псом, которого тянут за поводок, а ошейник только сильнее впивается в шею и еще больше раззадоривает.

— За словами следи,— бросил Тузов.— Сегодня тренировка. К трем чтоб на базе были.

— Ничего, что дождь?

— Не сахарные, не растаете.

Тузов махнул свите, и пацаны, присвистывая и качая головами, разошлись, тихонько обсуждая случившееся. Турка тяжело дышал. На лбу у него блестел пот.

— Они ж нас убьют там, в лесу. Вдруг они это специально придумали, а?

* * *

Криворукая начала объявлять оценки за прошлый диктант — Турка, помнится, специально приходил, чтоб его написать. Получил тройку — и слава Богу. Вова постоянно ерзал на стуле. Где-то в середине урока в кабинет заглянул какой-то пятиклашка, видимо, дежурный:

— Давыдова просят зайти к директору! Есть Давыдов?

— Какой тебе класс нужен?

— Девятый «А».

Турка нахмурился.

— Можно? — спросил он Криворукую.

— Иди.

Пока шли по коридору, малóй постоянно шмыгал носом.

— Нац есть? — спросил он.

— Нету. Ты что, жрешь это куриное дерьмо?

— Не жру. Его за губой держать надо. А курить есть?

— Слушай, зачем меня директор вызвал-то?

— Не знаю. Меня Сова поймала, говорит, сходи и позови. Ладно, давай! — пацан махнул рукой и сбежал по лестнице. Турка потоптался напротив новенькой полированной двери с позолоченной ручкой в форме изогнутой буквы «Г». Турка постучал, заглянул:

— Можно?

— А, Давыдов. Входи,— кивнул директор.

— Здравствуйте, Сергей Львович,— растерянно протянул Турка, переступая порог. Помимо директора, в кабинете сидели два странных типа с колючими взглядами. В вытянутых свитерах, в потертых джинсах. Дверь закрылась сзади со щелчком.

— Входи, не стесняйся, голубчик! Ну, как дела? Как учеба? Вроде наметилась положительная динамика, насколько я знаю? — Директор улыбался, мужики продолжали буравить Турку тяжелыми взглядами. По стеклу бежали капли дождя, а на фоне серого неба колыхались ветки тополей.

— Садись или хочешь — стой. Как тебе удобно. Эти хм... молодые люди хотят у тебя кое-что спросить. Не против?

Турка молча кивнул. Неужели из комиссии какой-то? Прорабатывают? Так почему его вызвали? Он лихорадочно пытался вспомнить за собой какие-нибудь грехи. Вроде чист. Так что нужно этому стриженному под «ежик», с квадратной челюстью, и второму, с длинным сальным чубом, приклеившимся ко лбу? Взгляд снулый, тухлый, как у селедки. Ощупывает, как будто обыск проводит, прохлопывая карманы и складки одежды.

— Здравствуйте,— сказал Стриженый.— Меня зовут Роман. Мы хотели бы задать вам пару вопросов. Не возражаете?

Турка пожал плечами. Селедочный хмыкнул.

— Где вы были вчера вечером, если не секрет?

— Что? Дома был,— на автомате сказал Турка и поморщился. В затылок что-то ткнулось изнутри. В лоб еще поддавливает и в виски.— То есть... сначала гулял, потом пришел домой.

— Так вы подтверждаете тот факт, что находились вчера около восьми часов вечера в квартире по адресу: переулок Старочеркасский, дом десять, квартира семь?

— Не знаю,— на спине у Турки выступил холодный пот. Взмокли и подмышки. Слишком уж тут душно, в кабинете.— Адреса не знаю. Но да, мы вчера отмечали...

— А говорите — дома были,— улыбнулся Стриженый.

— Что отмечали? — хмыкнул Селедка.

— Что-то отмечали,— развел руками Турка.— Меня пригласили...

— И ты поехал? — прищурился Селедка. Потом что-то черкнул в блокноте.

— Ну так кто бы не поехал?

— Послушай, парень. Не против, что на «ты»? Мы не в игрушки тут играем. Дело возбуждено,— Стриженый поставил ударение на букву «у»,— по факту изнасилования. Ты в этой квартире вчера выпивал, верно? Давай так, начистоту — сейчас все выкладываешь и... Сколько вас там было?

— Какое еще изнасилование... — прошелестел Турка.— От кого заявление? Кто написал?

— А вопросы будем задавать мы. Лашукову Екатерину Ивановну как давно знаешь?

— Екатерину? Толстуху, вы имеете в виду? Вообще не знаю.

— Твой дружок уже в отделении,— многозначительно протянул Селедка.— К нему, что ли, хочешь? В камеру? Говори, как насиловали!..

— Не кричите, все-таки школа, несовершеннолетний... — Директор вытер платочком лоб.— Он смышленый парень, не надо на него давить!

— Спокойно, мы разберемся,— Селедка шмыг-нул носом.— Такие смышленые парнишки насилуют девочек, а иногда и убивают.

— Я никого не насиловал!

— Все было по согласию? — мигом отреагировал Стриженый.

— Разве так ведут дела?! Я не обязан вам отве-чать! И я никого не насиловал.

— О, смотри, как запел! «Не обязан»! Знаток УК РФ, выходит? Сейчас ты у меня во всем призна-ешься,— Селедка встал и упер руки в бока.— Хамит, вы поглядите! Наверно, он организатор и есть. Идей-ный вдохновитель.

— Да я ее впервые увидел вчера! И вообще ника-ких с ней дел не имел! Ее перчили там, в комнате, по-нимаете, а я что? Я ушел домой, провожать девушку, Аню!

— Так, перчили... Кто это может подтвердить?

— Ну Аня же! Подруга этой вашей Екатерины! Я ее до дома провожал...

— Провожал, ручку жал... А до этого насиловал Лашукову, правильно?

— Дайте ему сказать! — директор постучал ка-рандашом по столешнице, обмахиваясь платком.— Не нужно шоковой терапии!

— Давай говори,— кивнул Селедка.— Только четко, ясно и по делу. Желательно — быстро.

— Посидели, выпили... Потом мы с подругой Кати, Аней, пошли на кухню... Целовались немного. По согласию! — поспешно воскликнул Турка.— По-сле я проводил ее до дома. Стоны слышал из комна-ты. Довольные.

— Ты можешь на слух определить, как именно стонет человек? — прищурился Селедка.— От боли или от удовольствия?

— Да и вы, наверно, тоже можете...

— Юноша, ты не забывайся,— сказал Стриженый.— Мы тебя и впрямь можем посадить на пару суток. Пока ты только подозреваемый, но все-таки...

— Да в чем?! Я вообще не знаю, что случилось!

В итоге выяснилось, что Катя написала заявление в ментовку. Вроде как на экспертизу даже пошла (и когда только успела?), правда, Турка в списке перечисленных насильников не фигурировал, потому что Катя не запомнила его имени. Остальных она знала — пацаны уже неоднократно собирались подобной компанией. Селедка и Стриженый задавали однообразные вопросы, Турка отвечал и отвечал — каждый раз одно и то же. За дверью звенел звонок, топали ноги, слышался смех, а он все сидел в кабинете директора.

Никаких протоколов ему подписать не дали. Вроде как обычный разговор. Но записали все контактные данные и телефоны родителей. Турка хотел было сначала продиктовать неправильные номера, но побоялся.

На кой только черт он туда сунулся, в квартиру? Надо было купить хлеба и идти домой. Проклятый Шуля!

Волей-неволей Турка рассказал, что они с Аней на кухне не только целовались. Он чувствовал себя как во сне — даже перед друзьями не привык хвастаться сексуальными успехами, а тут три взрослых мужика.

Директор покачивал головой и цокал языком. Менты строчили в блокнотиках.

— И что теперь им будет? Да вы вообще видели ее?!

— Видели,— устало кивнул Стриженый.— Что будет, то и будет, не твоя забота. В ноги ей должны кланяться, тогда, глядишь, и заберет заявление. Может, замуж выйти вздумала. Кто их поймет, женщин! Ладно, пока иди гуляй. Свободен! Если, конечно, у директора нет вопросов...

— Вопросов нет,— быстро сказал Сергей Львович и оттянул уголок рта. Веко у него конвульсивно дернулось.— Можешь идти, Давыдов.

И как на него вышли-то? Знают ли родители? Не поставят ли на учет теперь?

Целая куча вопросов, как обычно.

ГЛАВА 12

УБОЙНЫЙ ФУТБОЛ

Турка сам не помнил, как дошел до дому, плюхая по лужам. Дождь уже прекратился, и небо затянули невнятные серо-сизые клоки туч. Он поглядел на экран телефона и вспомнил о футболе, в полтретьего. Но какие теперь мячики...

Он долго лежал в пустой комнате и глядел в потолок. Прошел час. Замигал мобильник на тумбочке. «Вовчик вызывает». Сначала Турка хотел ответить, а потом передумал.

«Хрен с ними со всеми, футболисты, ёлки-палки. Как бы теперь в тюрьму не посадили. Вроде бы Шулю действительно упекли. Хотя могут обманывать менты, они же ничего толком не сказали».

Сейчас в голове Турки всплывали фрагменты диалога, мелькали две отвратные рожи, Селёдки и Стриженого. Пахло от них так, как будто в дýше не появлялись пару лет. Ещё тот краснорожий мент постоянно заглядывал, с автоматом наперевес.

Ну теперь-то Шуля к Марии Владимировне точно не сунется, на этот счёт можно быть спокойным.

Однако спокойствие к Турке не приходило.

* * *

Проснулся Турка с растрескавшимся горлом и отвратным кислым привкусом во рту. Мама на кухне гремела чем-то, вода плескалась под звуки новостей из телевизора. Турка встал и, покачиваясь, шмыгнул мимо кухни в ванную. Умылся, фыркая, попил из пригоршни.

— Ну что, как дела? Голова небось весь день болит? — спросил отец.

— Так, немного...

— В школе как? Ходил, надеюсь? Или прогулял?

— Контрольные решали, ходил.

— Решали? — прищурился отец.— Ну ладно, молодец. Мать переживала, ты хоть бы извинился. Точно всё в порядке? Какой-то ты мутный, бледный... Уж не заболел ли?

— Устал,— живот у Турки заурчал.— И есть хочу.

Мама говорила мало. Отвечала односложно, не улыбалась и не шутила. В итоге Турка поел борща, затем гречки с ленивыми голубцами, выпил кружку молока и сказал, что будет учить уроки.

На деле же он сидел за столом и глазел в раскрытую наугад тетрадь по истории. Учебник еще достал, малиновую алгебру. И все думал о вчерашнем вечере. Снова замигал экран мобильного, и Турка наконец ответил:

— Да...

— Ты чего не отвечал весь день? Куда исчез-то? К директору пошел и пропал. Папка твоя у меня, если что,— Вовчик говорил чуть в нос, как будто простыл, и сипло дышал.

— Тут такое дело... Может, выйдешь? Пройдемся?

— Фиг его. Можно и пройтись,— Вовчик шмыгнул носом.— На футбик ты не пришел, на тренировку...

— Срал я теперь на футбол. Короче, давай сейчас к тебе подойду. Наберу тогда.

— Ага.

Турка накинул толстовку и рванулся в прихожую. Пока возился со шнурками, отец снова спросил:

— Ты куда опять?

— К Вове. Я минут на сорок.

Отец заворчал и завозмущался, но Турка слушать не стал.

* * *

На улице было прохладно. Между темными ветвями деревьев мелькали тускло-желтые огоньки фонарей. Турка вспомнил, как они били лампочки из воздушки, когда были малые.

Сейчас новые столбы поставили, лампы прикрыты надежными плафонами из твердого пластика, такие свинцовыми пульками не пробьешь.

А тогда всем плевать было. И окна школы кирпичами били, а Шуля как-то раз нассал в форточку Муравью. Мать его орала, чтоб свалили и не мешали отдыхать, а Шуля подкрался и прямо струей, в штору, а мать попыталась закрыть форточку и...

— Ну? Че у тебя случилось? — спросил Вова.

— А у тебя? — прищурился Турка.— А ну давай выйди на свет!

Одет Вова был в куртку с капюшоном и шелестящие штаны. Они отошли к середине дороги и очутились в центре размытого круга. Конкретно этот фонарь светил ярче, чем остальные на улице. Видимо, скоро перегорит лампочка. Лицо Вовчика испещрили ссадины, под левым глазом красовалась шишка, а правый — весь заплыл. Губы распухли и были будто бы искусанные. Теперь понятно, почему Вова так сопел по телефону, у него вместо носа будто расплющенная подгнившая слива.

Турка выудил сигарету, прикурил. Терпкий привкус табака разлился по языку и небу. Хотя какой там табак, пропитка химическая.

— Много народу на футболе было?

— Я не пошел,— сказал Вовка.— Уроды после школы толпой, как всегда, окружили... Так где ты был-то, а?

Турка выложил все как есть. Вовка только присвистывал.

— И что теперь?

— Откуда я знаю? Без понятия,— пыхтел сигаретой Турка.— В тюрьму мне что-то неохота. Знаешь, что там делают с пацанами?

— Да знаю... Денег они хотят. Но я ничего давать не буду. Клянусь, если это продолжится, я что-нибудь с ними сделаю!

— Смотри, я про тюрьму предупредил. На малолетке знаешь, что...

— Ссал я на тюрьму. Так всю жизнь, что ли, терпилой быть?!

— Да тише ты,— Турка сплюнул в сторону. Где-то проревел движок скутера, характерный звук такой, маломощный. Сейчас прямо мода на них пошла. И все ездят — даже малые, которые недавно о велосипедах мечтали.

Пацаны остановились под каштаном. У дальнего перекрестка пролетел тип на мопеде, мелькнула фара.

— Нет, я что-нибудь сделаю. Выберу момент. Я возьмусь, отвечаю! Ты пойдешь играть-то в субботу?

— Нет. Посмотрим еще, не знаю,— пожал плечами Турка.— Меня это сейчас не очень-то волнует, веришь?

— Всегда только своя шкура и волнует,— внезапно выпалил Вовчик.— Всегда! Сегодня списал у меня все, потом я получил по балде от твоих бывших дружков, а теперь ты ничего не знаешь и тебе на все начхать. А что, я бы так тоже хотел устроиться, водиться с идиотом, который все будет решать без палева! Ты ничего не понимаешь! Тебя никогда не унижали толпой, не задевали все время. Да я каждую, блин, секунду в страхе! У меня комок холодный всегда в груди, понимаешь? Всегда!

— В смысле? Погнал, что ли, Вов?

— Чего погнал-то? Разве не так? Давно бы уже решил этот вопрос ради друга! Но я ведь тебе не друг, верно? Просто знакомый, одноклассник там. Да ты просто... Урод ты, короче!

Вовка хотел добавить еще что-то, но махнул рукой и быстрым шагом пошел прочь. Чуть ли не побежал.

— Вов! Ну че ты как баба-то? — Турка хотел бы добавить что-то эдакое, но фигура товарища уже пропала в темноте. Щелкнула ручка калитки, протяжно завыли ржавые петли. Загавкала свора собак у Сомовых, калитка с грохотом закрылась.

Снова раздался стрекот скутера, а следом — довольный девчачий визг.

* * *

В школу на следующий день Турка не пошел. Смотрел «Обыск и свидание», после начался «NEXT», следом — «Бешеные предки». Моросивший с утра дождик прекратился, и Турка решил немного провериться.

Скорее бы уже закончился девятый класс.

На стадион пошлепал по лужам. На брусьях и турниках некайф. Бегал долго, время засек — целых сорок пять минут. И откуда только выдержка? Кашлял, правда. Но это от курева.

Снова начал моросить дождь, ощутимый. Турка остановился и, уперев руки в бока, ходил кругами по резинке, втягивая легкими густой влажный воздух. Хорошо.

После по привычке заглянул к Коновой, не очень-то надеясь на успех. Однако дверь практически сразу распахнулась.

— Привет. Входи.

Турка опешил. Даже глаза протер, как после сна. Одета Ленка была в «рваную» майку, открывающую пупочек, и джинсовые шорты.

— Привет,— Турка переступил порог и прикрыл дверь. Стянул мокрую куртку, разулся. Так и есть! На большом пальце дырка. Да и грязные носки-то, сразу запахло кошатиной почему-то.

— Я с последнего урока ушла. И чего на обществе сидеть? Неинтересно. Что у вас произошло? Вся школа шепчется. Хочешь помыться? Ты бегал, что ли? Мокрый весь...

— Бегал, да. Как-то неудобно, в душ-то.

— Иди-иди! Я пока поесть чего-нибудь соображу. Может, яичницу пожарить?

Турка шмыгнул носом. В сказку он попал, что ли? Помылся на скорую руку. Странно было раздеваться в ванной Коновой. Поглядел в зеркало — в него и Лена смотрится каждый день. И голая здесь сидит. Увидеть бы, как она моется и как блестят капли на ее коже... А еще лучше — намазать ее маслом «Джонсонс Бэби». Вон как раз бутылочка стоит.

Турка специально не стал закрывать дверь на щеколду. Вдруг Лена решит заглянуть к нему, мало ли — сегодня, кажется, возможно все. Вспомнил, как сам ждал на кухне, пока Ленка примет душ, давно-о еще.

— Ну и что там было? — полюбопытствовала Лена, перекладывая яичницу с помидорами на тарелку. Та соскользнула легко: сковородка новенькая, с антипригарным покрытием.— На той гулянке?

— Ничего особенного. Выпили, посидели. Там толстуха была, вот они ее того самого...

— А ты?..— после паузы спросила Лена. Турка поперхнулся кусочком белка и закашлялся. Конова похлопала его по спине.

— Ну тебя в баню, Лен, она ж стремная! Да и вообще не в этом дело. Чего ты щуришься так?

— Стремная, да? А после первого стакана...

— Я и не пил-то особо.

— А зачем пошел?

— Сам не знаю! Шулю встретил, и по старой памяти, понимаешь. Уже пожалел тыщу раз!

Турка с ожесточением тыкал вилкой в болтунью. Вкусная, с перцем и зеленью. Умеет Лена готовить, ничего не скажешь.

Перевел взгляд на плиту: дверца духовки заляпана жиром, на подоконнике пыль. Но все равно кухня, на которой они развлекались с Аней, была куда как более замызганная.

— Ты сама-то как?

— Никак. Все надоело. Апатия навалилась. Хочется спать и курить траву, что я, собственно, и делаю,— невесело засмеялась Лена.

— Ты бы бросала это дерьмо. Станешь еще наркоманкой.

— Она безвредная и привыкания не вызывает. Даже обычные сигареты в сто раз хуже.

— Чепуха,— поморщился Турка.— Кто тебе это сказал, Вадик твой?

— Марихуану курят многие, просто это незаметно. Поэтому ты и не знаешь. Врачи даже рекомендуют в терапевтических дозах, у меня знакомый есть — он и рассказывал. В Голландии, думаешь, почему легализовали? И живы все. Тебя просто с первого раза не вставило, мало кого сразу цепляет. Давай доешь и попробуешь. Ой, если боишься *зависимости* — то так и быть, не кури. Пей и дальше свои водку и пиво, это же так полезно! А самое главное, от спиртного-то никто не умирает, и от него не бывает цирроза печени.

— Ладно, Лен. Чего ты разошлась? Просто я беспокоюсь за тебя. Вкусная яичница, кстати.

— Я утром такую же пожарила. Люблю с помидорами, каждый день есть могу. Так что, хочешь? У меня полкоробка еще...

— Блин, лучше бы на стадионе бегала! — возмутился Турка.

— Расслабься, ты ж уже отбегал. А мне и так хорошо,— подмигнула Конова.

Курили в комнате. Открыли окно нараспашку, сами залезли под шерстяной плед. Турка и сейчас чувствовал себя, как во сне. Неужели жизнь все-таки налаживается?

Но противный холодок в груди не давал с этим согласиться.

— Ты сумасшедшая,— кашлял Турка, передавая косяк.— Почему ты со мной не разговаривала, а?

Лена ответила долгой затяжкой. Выпустила дым и поцеловала его сухими губами. Поцелуй вышел отнюдь не безжизненным, а жарким, и треклятый комок в груди у Турки начал таять.

— Обиделась? Не знаю. Просто мне было плохо. Все бесит в последнее время, я какая-то *пустая*. Вокруг одна грязь, ничего интересного. В клуб пошла, так там только козлы цепляются. Все бы им в туалет пойти или на квартиру вывезти. А я просто потанцевать хотела! И еще больше погрязла в своих мыслях, в мути. Ну и курить стала больше, конечно. Ты меня не осуждаешь? Трава, правда, не такая уж вредная, как все привыкли думать. Сейчас и кальяны вот в моду входят, пробовала у друга на вечеринке. Знатная штука!

— Вообще курить — не женское дело.

— О Господи, что за чушь...

— Хотя лучше б ты обычные сигареты смолила,— вздохнул Турка, а Конова засмеялась.— Не холодно? Окно бы закрыть...

— Сейчас, курим же. А то потом тетка будет орать, провоняло мол все... Она думает, что я делаю какие-то обряды, приколи. Говорит: «Ты что, благовония тут жжешь?» Ей и невдомек про траву, даже стыдно как-то. Сама она пьет только по праздникам или когда дни рождения на работе справляют. У нее подруг почти нет, ни с кем не общается. Приходит и включает телик, ток-шоу разные, Малахова там со всякими сплетнями. «Битву экстрасенсов» любит. Наверно, поэтому и думает, что я колдунья.

— Ты же еще в черной одежде ходишь, глаза у тебя всегда густо подведены... Я тоже на тебя смотрю и думаю — уж не ведьма ли?

Лена снова засмеялась. Турка выпустил дым через ноздри.

— Правда, ничего серьезного там? — спросила Лена.— Ты не принимал участия... ну, ты понял?

— Нет, ты что! Да я думаю, Катя эта заберет заяву. Может, денег хочет срубить.

— Катька в нашей школе училась. Кажется, года три назад ушла после девятого, в училище. А я как-то раз забежала концы подрезать, в парикмахерскую — ну пару сантиметров, уже секлись. А Катька сидит и ногти полирует. Маникюрша она, вроде. Может, практику проходила или уже работала.

— Так ты ее знаешь? А я вообще не помню.

— У меня хорошая память на лица. Пару раз увидела — и все, запоминаю. Так она еще и худая же была, разжирела сейчас! Она меня не узнала тогда, думаю. А больше я в эту парикмахерскую не ходила, дорого берут. Бабка еще противная: «Почему у вас такие тусклые волосы, надо маски делать, увлажнять кожу. И расчесываться нужно чаще»,— короче, целую лекцию прочитала. Я слушала, слушала. Ересь она гнала какую-то, в общем.

— Понятно. Докуривай тогда, а я закрою окно.— Турка, кряхтя, выполз из-под пледа, а Лена ткнула его пяткой в задницу. Потом закусила губку, и взгляд ее снова затянула влажная дымка. Турка прикрыл раму и вернулся на кровать.

— Иди сюда. Я тебя поцелую.— Лена отложила бычок на блюдце, которое играло роль пепельницы, и протянула к пацану обе руки.

* * *

— Все, хватит лежать. Давай выметайся из моей постели! — Конова тянула Турку за ногу и щекотала ступню, а тот хихикал. Из колонок неслось надрывное «Йееееее-ееееее» Кобейна, Конова в сотый раз включила «Lithium».

— Ну правда! Тетя скоро придет, а мне еще убрать квартиру надо.

— Слушай... Слу-ш,— Турка смеялся и никак не мог вдохнуть кислорода, а девушка дразнила:

— Слуш, слуш? Что этот ты там городишь, непутевый? Давай одевайся, я тебе говорю! Слуш ты, что ли? Так теперь тебя буду звать.

— Блин... Да погоди ты! Не щекоти, все, хватит! Правда! Я уже не могу!

— Не щекоти? Не щекоТИ? Ты русский язык вообще знаешь?! — бесновалась Конова, продолжая щекотать Турку коготками.— Ладно, хватит уже смеяться. Дурной ты какой-то! Одевайся и уходи,— Лена сдула со лба челку, та взвилась вверх и снова упала на лицо.

— Я тебе в натуре говорю — не кури больше.

— А самому-то понравилось. Кстати, глюков с нее не словишь. Вот один мой знакомый пробовал ЛСД... Знаешь такое?

— Слышал,— кивнул Турка.— Что у тебя за знакомые такие? Наркоманы одни.

— У тебя лучше, что ли? — уперла она руку в бок.— Ты глянь!.. Хватит уже зубы заговаривать! Тетя до шести работает, скоро уже дома будет.

На прощание Лена надолго приникла к Турке губами. Ему нравилось чувствовать руками ее точеную фигурку, тут дело даже не в сиськах и не в заднице. И когда он целовал Ленку, в груди возникал теплый шар, и лучики его приятно щекотали желудок изнутри и гладили сердце, прогоняя посторонние мысли о проблемах, выветривая беспокойство и тревогу.

«Моя девушка»,— думал Турка по дороге домой. Он не замечал улыбку на лице, не замечал луж и прохожих. В груди у него жило тепло, и от каждой мысли о Коновой нутро щекотали мелкие иголочки.

Он не знал, на самом ли деле у них с Леной что-то серьезное, не знал, как она к нему относится, но чувствовал себя... окрыленным? Пожалуй, да.

«Влюбился, что ли? Вот дурак... И номер телефона опять забыл взять».

* * *

Четверг и пятница пролетели незаметно. Якорь разбил окно на русском языке — портфелем Шарловского. Не признались, понятное дело, поэтому Анка завела в своем блокноте список и приказала сдать по сто рублей на новое стекло.

Березин всю субботу прихрамывал: на тренировке растянул связку бедра. Тузов сказал, что это не его проблемы, и играть Береза все равно должен, хоть бы и на четвереньках.

Хазова выглядела озабоченной. Подошла и спросила, что там с Вовой, и будет ли он играть в субботу на СКА.

— Мы группу поддержки собрали. Будем кричать, болеть! — похвастала Рита.— Куда он запропастился-то? Несносный!

— Вовка? Заболел, наверно. Или еще что,— уклончиво отвечал Турка.

Тузов, Рамис и Крыщ продолжали трясти со всех деньги.

— Где он, этот Гнич сраный? Он пятихатку потом отдаст! Не дай Бог, не придет играть! — твердили они на разные лады. Турка пожимал плечами. Сам он денег не сдавал из принципа. Банк и так уже собрался приличный — тысяча триста. Так, по крайней мере, сказал Тузов.

Вовка так и не появился и не звонил. Чапай продолжал учить сборке-разборке, а географ не пускал Вола на свои уроки. По этому поводу в школу снова пришла мамаша Вола, и они с географом что-то долго обсуждали.

Шуля тоже отсутствовал на занятиях. К директору Турку не вызывали, да и вообще учителя и ученики хоть и сплетничали, никто толком ничего не знал. Сплошные догадки и предположения.

Турка сидел теперь на некоторых уроках с Леной. Они смотрели друг на дружку и улыбались неизвестно чему.

Наверно, это и впрямь любовь. И плевать, что все шепчутся.

На игру решили выйти в красных футболках. Конечно же не у всех они оказались в наличии, но Тузов был непреклонен. В итоге двое полевых игроков пришли без красной формы.

— Ничего. Играем так.

День был пасмурный, но обошлось без дождя. База СКА располагалась в тихом местечке близ рощи, тут же журчала речка-Темерничка, и ее сладостная, душная вонь витала в здешнем воздухе. Футбольный клуб «СКА-Ростов» играл во втором дивизионе, болтался ближе к середине турнирной таблицы. Турка видел тут их тренировку: деревянные игроки какие-то, некоторые курят.

Одиннадцатый «А» собрался ближе к дальнему краю поля. На той стороне за воротами была растрескавшаяся бетонная плита, расписанная из баллончиков синими, красными и черными каракулями.

Поле окружала высокая сетка, чтоб мяч не улетал. Тонкие прутья смешивались с сеткой-рабицей, переплетались с плотной порослью. Дышалось тут, конечно, лучше, чем на школьном дворе. Сплошные деревья и кустарники, и если бы только не воняло еще...

Газон не то чтобы очень. Штрафная площадка вытоптана, пыльные треугольные проплешины занимают большую ее часть. Вратарю падать так себе, неприятно.

Кое-где трава высокая, чуть ли не по щиколотку, мяч запутывается, а летом тут растут одуванчики.

— Береза, выйдешь тогда на второй тайм. Вот же идиот — на хрена ты вчера играл?

— Да я же не думал, что растяну связку. Блин, да я и полчаса сыграть не смогу,— шмыгнул носом Березин.

— Нам пофиг как, но ты сыграешь,— пригрозил Крыщ.

— Я капитаном буду. Санек! Давай на раму,— мотнул головой Тузов. Саша Молчунов кивнул и медленно побрел к воротам. Был он невысокого роста — метр шестьдесят, не больше, но прыгучий, и реакция хорошая. Смешно наблюдать за ним — стоит в высоченной рамке, даже до перекладины не допрыгивает.

У одиннадцатого класса на воротах стоял какой-то длинный тип в зеленом свитере с мягкими квадратными нашивками на локтях. Штаны у него тоже были вратарские, с амортизаторами сбоку на бедрах и на коленях. Молчунов всегда стоял в обычных шортах, к концу матча сбивая колени в кровь. Нормальные бутсы были только у пяти человек, остальные обулись в обычные тряпичные кедишки с желтой резиновой подошвой. Самые дешевые, триста рублей на рынке.

Турка и «футбольная диаспора» в лице Березина и еще пары человек играли в бутсах. На замене остались Алик, Березин с больной ногой, Рустам Асламов и еще несколько человек, поскольку играть они не умели. Так, бегали, но пас в ноги отдать не могли и по воротам с метра промахивались.

— Ну что, вы готовы? — проорал Тузов.— Давайте уже, поехали.

— Мы судью ждем! — закричал в ответ высоченный Малик.— Букато судить будет!

— Что? Мы так не договаривались! — завозмущалась команда Турки.— Без судьи играем! Тем более он с вашей стороны!

Пацаны обступили Малика, но он был непреклонен. За его спиной толпилась солидная поддержка, одиннадцатый класс не разрозненный, сплоченный, каждый горой за другого. Кстати сказать, классной руководительницей у них была му́зычка, Галина Марковна. Пока орали и спорили, подошел Букато — голова набок, щеки пухлые и розовые, как у поросенка, глаза-щелочки.

— Шею продуло, что ли? — поздоровался с ним Пивик. Букато что-то ответил, Турка не расслышал. Всегда тихо разговаривает, странный тип. А школу закончил года четыре назад.

— Играем! — Букато свистнул.— Без офсайдов, ауты вбрасываем из-за головы, как положено, не ногами. За майки не хватать, по ногам не бить. Покажите честную игру, парни!

— Команде напротив — физкульт-привет! — проорали хором пацаны. Букато бросил монетку. Выпал «орел», и мяч достался Тузову. Он махнул Турке, тот подошел ближе:

— Давай ты в нападении. А где Гнич?

— Вовчик? Не знаю. Он телефон не берет.

— Пипец ему,— улыбнулся одними губами Тузов.— А если проиграем,— он харкнул, и сочный зеленец с гнойными прожилками скрылся в траве,— лучше пусть в школу не приходит даже.

Свисток, развели мяч. Тузов орал, Крыщ орал тоже. До Турки мяч не доходил, и ему приходилось глубоко садиться назад, подхватывать мяч и тащить вперед, к воротам. Но его сразу накрывали массивные защитники — пару раз брали в «коробочку», и Букато не засчитывал блокировки. В какой-то момент Турка сделал «финт Зидана», развернулся вокруг своей оси. Обыграл громилу Филимонова, но тут что-то врезалось в ногу, и небо несколько раз поменялось местами с землей.

И тут фола не было. Турка корчился от боли, держась за голень. Его постепенно начала охватывать злость.

Свои в защите играли бестолково. Как пластилиновые человечки. И все атаки одиннадцатого «А», словно раскаленный ножик, разрезали поле, делили его точными передачами. Прямо около штрафной, будто в насмешку. И первый гол не заставил себя ждать. Молчунов резко прыгнул. Спина выгнулась дугой, мелькнул голый живот в полоске между майкой и резинкой шорт. Потертые кончики перчаток коснулись обшивки мяча, но тот лишь поменял траекторию, коснулся штанги и влетел в ворота. Забил Пивоваров.

А потом голы посыпались, как горох из дырявого пакета. Молчунов и так прыгал и этак, орал на защиту, вылетал вперед ногами, вздымая высокие клубы пыли,— но отразить атаки в одиночку не мог. Крыщ быстро выдохся и просто стоял на середине поля, наблюдая за футболом. Игроки метались как безумные марионетки, гонимые ветром или же управляемые несмышленым ребенком. Ни контроля мяча, ни обводки, ни точных передач — вообще ничего.

Но третий дальний удар Турки все-таки пришелся точнехонько в девятку. Вратарь — неизвестная шпала в зеленом свитере — прыгнул, но все-таки не вытащил мяч. Врезался в штангу и остался лежать с гримасой на лице.

Пацаны окружили Турку, все хлопали его по спине и плечам, стукали по затылку, орали.

— Хватит! Чего вы радуетесь, горим четыре — один!

— Сколько уже прошло? — спросил Русаков.— Чот я уже устал...

— Двацать шистая минута, Русак! — сказал Крыщ.— Дафайти, бистро, бистро!

К концу первого тайма пропустили еще два мяча.

Потом Турка накрутил троих и отдал передачу на пустые ворота. Ее замкнул Тузов, но никаких признаков радости он тоже не проявил. Еще пару моментов запорол Рамис — выходил один на один. Раз он просто ударил выше, а во втором случае его сбил вратарь. Но Букато, несмотря на все апелляции и протесты, не поставил одиннадцатиметровый удар.

— Какое пенальти! Да отстаньте вы! — бегал он с наклоненной головой.

Завязалась потасовка. Вот упал на газон Малик, его ударил в лицо Крыщ. На защиту тут же подтянулась вся команда, начали пихать друг друга. Турка стоял в стороне.

Пусть они там что угодно делают. Он вспомнил фильм «Костолом», усмехнулся.

Минут пять, наверно, продолжалось столпотворение. Букато засветили в щеку, и он слег в траву, Тузов растаскивал Рамиса и Пивика, который смешно размахивал руками.

Так прошла половина матча, и счет на виртуальном табло стал 6 : 2.

— Перерыв пятнадцать минут,— свистнул Букато. Почти весь девятый класс рухнул в траву. Тузов, Крыщ и Рамис раскурили сигареты. Только сейчас Турка заметил группу поддержки человек из двадцати — девчонки из одиннадцатого, какие-то незнакомые типы сидели у дальней бровки, прямо возле входа на поле.

— Замены будем делать? — спросил Турка.— Петя вообще уже мертвый. Да и вы тоже в защите не отрабатываете. Надо что-то поменять в тактике.

— Да они просто играют лучше. И бегают быстрее. Как мы у них выиграем? — спросил Алик.— Невозможно!

И тут же получил щелбан от Тузова:

— Заткнись, жирный! Обстановку разлагаешь.— Алик обиженно засопел. Турка плюхнулся на газон, быстренько расшнуровал бутсы, стащил гетры и с наслаждением пошевелил пальцами. Сквозь тучи светило солнце, стало душно. Воздух превратился в кисель без намека на кислород, Темерничка испускала миазмы.

— Нормально играли, чо,— Турка сплюнул и потер разгоряченные ступни о приятно прохладную траву.— Только не надо мяч сразу в аут выносить. Голову поднимайте, смотрите. А то вы как бараны бестолковые! Макс! Вот ты все правильно делал. Тебе-то лучше не думать, а сразу выносить. Блин, грузин этот меня уже достал, отлично гоняет. Сносите его сразу, как только он с мячом. Поняли?

Матч продолжился. Разводили Малик и Задорожный. Пробили с центра поля, Молчунов сделал фантастическое ускорение и только чудом перевел «парашют» за перекладину. Тузов тут же начал орать. Все забыли про установки и всякую «тактику».

Турка отыгрывался в основном с Березиным, но в обороне творился полный швах, особенно когда отступали всей командой назад и прижимались к воротам. А противники знай переводили мяч с фланга на фланг, навешивали в штрафную. Молчунов наверно раз пятнадцать вытаскивал «мертвые» мячи. К шестидесятой минуте счет был 6 : 3, на этот раз усилиями Березина. Он красиво обвел стенку со штрафного и положил мяч в самый уголок от штанги.

Но к семидесятой минуте пропустили два гола. А потом еще и Крыщ вдруг решил отдать мяч назад и вывел на Молчунова нападающего соперников. Пивик красиво подсек мяч над маленьким вратарем.

До конца игры Туркина команда создала еще пару моментов, но мяч не шел в ворота.

В итоге счет так и остался 8 : 3.

— Финальный свисток! Всем спасибо за игру! — Букато распрямил шею и поморщился. Затем снова вернул голову в прежнее положение, будто разглядывал перевернутую картинку на мониторе. На щеке у него горело пятно в форме чьего-то кулака, будущий синяк.

Футбол всегда помогает разрядиться. Однако девятый «А» был раздосадованный, усталый и грязный. У Молчунова почернели коленки, и он прикладывал к ранам листки подорожника, шипя от боли. Остальные брели понуро, обмениваясь тихими репликами.

— Хорошо играл сегодня,— сказал Турка.— Тащил прямо.

— Да дерьмо все равно. Проиграли же,— Молчунов отшвырнул подорожник.

— Ты-то не виноват. Защиты вообще не было.

— Ну, в нападении зато красавцы. Все убегают, сзади один Макс остается... Хрень, короче.

Пацаны поднимались по асфальтовой дорожке, вьющейся между высоких деревьев. Под ногами шелестели опавшие листья. Где-то вдалеке, в темноте, лаяли собаки, изредка раздавались взрывы хохота — одиннадцатый класс обсуждал победу. Прошли мимо кирпичного двухэтажного строения, выкрашенного в малиновую краску еще при советской власти.

Путь срезали через небольшую площадку, засыпанную гравием. Тут тоже в футбол можно играть, но обувь и одежда становятся рыжими от пыли. Да и дышать ею неохота.

— Ничего, ну проиграли. Может, еще выиграем у кого-нибудь. Надо было начать с девятого «Б».

— Ага,— вздохнул Молчунов.— Выиграем. Денег жалко только.

Турка промолчал.

ГЛАВА 13

ВЗРЫВООПАСНОСТЬ

Каникулы закончились быстро. Оценки по окончании первой четверти у Турки вышли неважные — тройки почти все. Четверки по физ-ре, по МХК, по географии и неожиданно по матеше. Но это все благодаря Вовке, так что Турка даже зарделся от стыда, когда его хвалила Дина Алексеевна.

С Вовкой они почти не разговаривали, он продолжал дуться, а Турка не хотел выяснять отношения еще и с ним.

Конечно, сказалась история с футболом и деньгами. Вовку долго шантажировали, били, Турка вмешивался, но его как будто не замечали или же отстраняли невидимым барьером, так что на драку он так и не нарвался, ни с Тузовым, ни с Рамисом, ни с Крыщом.

— Он не хочет сдавать деньги! А еще не играл. Если бы ты играл, то, может, мы бы и выиграли,— говорил Тузов в раздевалке перед физрой.— Ты подвел всех, правильно? Скажите, пацаны? Подвел! Так что с тебя особый спрос.

— Никакого с него нет спроса! Гоните! — надрывался Турка. Но все пацаны поддакивали Тузову, мол «мы сдали деньги, так что и Вован пусть тоже сдает».

— Может, заплатить им? — задумчиво протянул Вовка.

— Ты чего? Нет, никак нельзя! Они ж тогда еще сильней насядут. Пацан сказал — пацан сделал! Никаких уступок этим уродам.

Вова кивнул, но Турка ощутил недосказанность и заметил странную дымку в глазах приятеля. Постоянные задевания Вовчика, постоянные «терки» раздражали, и хотелось покончить с этим раз и навсегда. Но как?

Хотели провести еще один матч, с другим классом, чтоб покрыть «расходы». Но сплошняком шли дожди, поле раскисло, да и играть с девятым «А» никто не соглашался.

На каникулах Турка почти все время был у Ленки. Они курили траву, ели сладости, ну и куда без постели. Ни о чем серьезном не разговаривали, хотя иногда Турка пытался узнать хоть какие-то подробности прошлого Коновой. Про дядю, про парня этого, который ушел в армию — Вадика. Но Лена тут же мрачнела, так что пришлось засунуть свое любопытство куда подальше.

Пожалуй, это были самые лучшие каникулы в Туркиной жизни. Гораздо круче любых других.

Шуля появился в школе как раз после них. Поздоровался, у него начали спрашивать, что там и как. Катя Лашукова забрала заявление, ее саму чуть в клевете не обвинили, так что пришлось ей забить. Шуля сказал Турке, что так этого не оставит.

— Бабам спуску нельзя давать. Мы эту свинью проучим. И с училочкой нашей я еще поговорю, а то больно она резкая.

* * *

— Слышал прикол? — прошептал Вовчик.— Болтают, что у Географа с Воблой ребенок будет.

— Да ну? В натуре?

— Ага.

Вобла — Судзиловская Виктория Олеговна — и впрямь не отличалась особенной красотой и добрым нравом. Кличка к ней подходила как нельзя лучше. Математичка орала на уроках, ставила много двоек, все у нее были дебилы, по рассказам типов из старших классов. Вела она в основном у десятых — одиннадцатых.

— Ребята, тише! Начинаем новую тему. Итак, все знают Владимира Ульянова, верно? Я сейчас говорю о Ленине. Мы приступаем к обширной и достаточно сложной теме. Помню, как Водовозов выражал недовольство тем, что мы изучали «каких-то там древних царей». Теперь-то уж не отвертишься,— улыбнулась Мария Владимировна.— Да и вообще, зарождение большевизма весьма интересно само по себе. Правда, часов у нас на изучение данной темы маловато. А потом будет еще круче. Сталин, Великая Отечественная война... На последних партах! Можно потише?

Шуля в ответ громко заржал. Сквозь слой пудры на щеках учительницы проступила краснота.

— Я неясно сказала? Молча сидим.— Голос у нее зазвенел. Все затихли. Крыщ премерзко ухмылялся. Вол опять с чем-то возился под партой, на шее у него то и дело надувались лиловые жилы.— Вол! Мало твои родители в школу бегают? Хочешь, вызову еще раз?

— А чо? Я молчу вообще.

— Вол, заткнись! — прокричал Мнушкин. Сам он возился сразу с тремя мобильниками, вывалил на стол целую кучу деталек.

— Женя! Ты не мог бы оставить на столе только учебные принадлежности? Все лишнее — убрать!

— Понял, понял,— закивал Мнушкин.— Я тут это самое... Ладно, прячу.

Шуля снова загоготал и заколотил кулаками по столу. Вид у него был чумной. Волосы сальные, взъерошенные. Глаза блестят. Турка подумал про траву. Может, Шуля тоже курит?

ГЛАВА 13. ВЗРЫВООПАСНОСТЬ

Мария Владимировна встала из-за стола. Сегодня она снова была в черной юбке чуть ниже колен длиной. Сапоги высокие, кожаные и с блестящими змейками. Кофточка разноцветная, с широкими манжетами, и воротник под стать им. Грудь призывно выделялась под тонкой материей. Говорят, на огонь и на текущую воду можно смотреть вечно. Турка бы еще добавил к этому списку грудь Марии Владимировны.

— Да он ни при чем. Чо вы на него кричите?

— А кто при чем? — Мария Владимировна размеренно шла между рядов. Ученики разворачивались ей вслед и провожали кто внимательным, кто укоризненным, а кто просто любопытным взглядом.

— Не знаю,— ухмыльнулся Шуля и поглядел на Тузова. Тот едва заметно кивнул. Рамис прикрыл рот ладонью и беззвучно засмеялся.

— Опять у вас начинается. Обострение после каникул? Я ведь поставила вам тройки, хотя вы ни черта не знаете. Должна быть благодарность? — Турка следил за ними. Там явно шла какая-то игра. Может быть, он чего-то не знает? Иначе почему учительница теперь побледнела? Румяна, растушеванные по скулам, казались воском на лике мертвеца.

— Знаю. Видите, мне даже учиться не надо. А у вас классная юбка опять,— Шуля выделил последнее слово.— Только длина не очень.

— Ты бы надел покороче? — в рифму ответила учительница, изогнув бровь.

— В коротких юбках ходят только проститутки,— он выделил последнее слово.

— М-м-м. Как насчет шотландцев?

233

По классу прокатилась волна смешков. Турка поймал взгляд Воскобойниковой. Она сидела за первой партой, с прямой спиной. Кажется, еще немного, и Мария Владимировна сгорит от Алининого взгляда — так недобро она смотрела.

«Живут в одном доме...»,— почему-то подумал Турка. И вспомнил, как Воскобойникова тогда сказала насчет того, что Мария Владимировна «взялась за старое».

— А вы такая умная и красивая, да? Поэтому в школе себе цепляете парней?

В какие-то доли секунды Мария Владимировна очутилась рядом с партой Шули и залепила ему пощечину. Точнее, сделала попытку — Шуля перехватил тонкое запястье. Класс не охнул, ни единого звука не издал. Ученики будто и дышать перестали.

— Отпусти.

— Вы меня ударите опять, да?

— Руку!

— Не отпущу,— Шуля откровенно издевался. Со стула он встал, и паркет противно заскрипел под ножками.

— НЕДОНОСОК! У МЕНЯ ОСТАНУТСЯ СИНЯКИ!..

— И что? Вы ж на меня замахнулись первая!

Тогда Мария Владимировна замахнулась левой рукой, и Шуля не успел ее перехватить. Он скривил рот, оскалил зубы и толкнул учительницу в грудь. Его пальцы скользнули по нарядной кофточке, Мария Владимировна врезалась поясницей в угол парты и вскрикнула. Турка сорвался с места, однако ноги почему-то двигались как в замедленной съемке.

Когда происходит что-нибудь эдакое, каждый считает своим долгом сделать вид, что он ничего не видит, не слышит. Никому нет дела, и помощи ждать неоткуда. Поснимать на телефон — пожалуйста, вон уже Проханов вытащил мобильник.

— Шлюха! — проревел Шуля.— Глаз мне чуть не выцарапала! Все женщины — шлюхи! — провизжал он.

Турка вложил в удар всю силу. Костяшки кулака заломило. Послышался треск, брызнула кровь. Голова Шули мотнулась, на его защиту мигом повскакивали остальные: Тузов, Рамис, Китарь.

— Тогда твоя мать тоже... шлюха? — выдавила Мария Владимировна.

— Сука! — заорал Шуля.— Что ты сказала?! ЧТО ТЫ СКАЗАЛА?! ВЫ ВСЕ СЛЫШАЛИ, ЧТО ОНА СКАЗАЛА!

— Успокойся! — кричал Турка. Шуля забыл про кровь, струящуюся из носу, не обращал внимания на удерживающие его руки.— Держите его, чо встали! Помогите!

Мария Владимировна побелела как мел, руки у нее дрожали. Крыщ и Тузов оттаскивали Шулю, а он все плевался слюной: глаза выпучены, губы искривлены.

Открылась дверь.

— Что тут происходит? Что за крики? — на пороге застыла Инесса Моисеевна, завуч. Кто-то поздоровался. Некоторые встали по привычке, загремели стульями.

— ОНА ОБОЗВАЛА МОЮ МАТЬ! УБЬЮ!

Поднялся невообразимый хаос. Шулю потащили в коридор, а он все вырывался, и даже четырех пар рук не хватало, чтоб его удержать.

Турка поглядел на костяшки пальцев. Кровь капала с них на замызганный паркет. Мария Владимировна вернулась за преподавательский стол и бессильно плюхнулась на стул. Уставилась перед собой пустым взглядом, взяла карандаш трясущимися пальцами, он тут же упал рядом с журналом. Инесса Моисеевна что-то спрашивала у нее, ученики кричали все громче и громче, слышались взрывы хохота, девичий визг. В кабинет заглядывали ученики из других классов, преподаватели. Вон и Олег Анатольевич, и Дина Алексеевна, русичка. Вот Анна Имильевна вплыла в класс как ледокол.

Стало душно. Турка вернулся на свое место. Он не чувствовал, как его трясет за плечо Вовка и не слышал, что именно говорит приятель.

— А?

— Он шизанулся? С ума что ли, сошел? Блин, как ты ему залепил! Так четко! У Шули аж глаза закатились! Елки-моталки, такой четкий удар! — Алик тоже что-то восклицал, даже Молчунов оживился и Русаков.

А люди, обступившие стол Марии Владимировны, размахивали руками, качали головами с глазами-пуговицами, и говорили, говорили, говорили.

* * *

После уроков собрались в спортзале. Заняли деревянные лавочки вдоль стены. Вол подхватил волейбольный мяч, загнал его пинками в сетку ворот. Анна Имильевна тут же подула в свисток.

— Вол! Быстро положил мяч на место!

— А чо-о?

— Да сядь ты! — заорали хором многие. Но Вола невозможно ничем смутить. Спустя пару минут он принялся щекотать Ирхину. Та тоже в школе появлялась редко. В основном пропадала по подворотням и подвалам с пацанами и распивала баночные коктейли с подружками.

— Сегодня ваш одноклассник отчебучил... Даже слов нет!

Послышался дробный топот маленьких ножек. Анку взяла за руку маленькая девочка с высоким лбом и темными глазками-черносливами. Раскосыми, теплыми и глубокими, как у лошадки-пони. Она тут же начала вертеться подле мамы, висеть у нее на руке.

— Ксюшенька! Я же тебе сказала, сиди, раскрашивай картинку.

— Ну, мам, мне ску-усно! — протянула девчушка. По плечам малышку била толстая темно-русая косичка.

— Тогда стой смирно. Только один человек пришел на помощь учительнице истории. Сейчас Марию Владимировну отпаивают валерьянкой. А этого отморозка отправили куда следует. Как твоя рука, Давыдов?

— Нормально,— ответил Турка.— Пройдет.

— Молодец! — раздались хлопки.

Дочка Анки начала прыгать и визжать, сжимая ладошки в кулачки. Турка возмутился:

— Не надо! Прекратите хлопать! Это каждый может сделать! Почему вы сидели там и молчали, а? Почему... А, не важно.

Отголоски эха затихли под сводом высокого беленого потолка. Анна Имильевна, в вечном своем спортивном костюме с зелеными буквами «Адидас» на необъятной груди, молча оглядывала ребят. Турке было противно смотреть на ее безвольный рот, бесцветное лицо и пепельные волосы. Да и дочка не лучше — мартышка какая-то, секунды на месте не может постоять. Турка пожалел, что не свалил домой.

— Артур правильно сказал. Чего вы хлопаете? Мальчиков в классе семнадцать...

— Шестнадцать! — поправил Мнушкин.

— ... а мужчина только один. Как это понимать? Вы что же, все трусы? Это ж девушка, в конце концов, где ваша совесть? Тугодумы вы? Нет. И придурками я вас назвать не могу, разве что некоторых,— Анна Имильевна многозначительно посмотрела на Вола.

— А куда его отправили? — спросила Воскобойникова, потирая родинку у губы.— На Зоологическую, в психушку?

Раздались скупые смешки.

— Нет. Я вам тут что, отчет должна давать? Хихикают они. Мнушкин! Встал и вышел вон. Вернешься с родителями.

— Ну Аа-анна Ими-и-ильевн-аа!

— Что Анна Имильевна? — Она чуть повернулась, как бочка.— Вы меня уже достали, девятый «А»! Что с вами? Выпускной класс!

Дальше разговор шел примерно в таком же ключе. Турка мысленно отключился и, стиснув зубы, глядел перед собой. Ксюшенька улыбалась ему, заложив палец в рот. Состроила рожицу и спряталась за спину матери.

Разбор полетов продолжался еще минут двадцать, и в самом конце все уже начали улыбаться, хохотать, а после Анка собрала деньги на уборку, и на дни рождения, и на еще какую-то чепуху, и наконец всех отпустила.

* * *

Дома Турка покачал пресс, затем пошел на турники. Как раз настроение такое, только заниматься, даже к Ленке идти неохота было.

На стадионе пес кинулся на Турку с оскаленными зубами, на глазах у пузатого сторожа. Турка отбегал двенадцать кругов, отдышался, и тут его окликнул толстяк.

— Хлопец! Иди-ка сюда.

Турка поглядел в его сторону. Поморщился, памятуя о прошлой стычке.

— Здрасте,— переводя дыхание, сказал Турка, смахивая пот. Пес заворчал.

— Часто ты тут бегаешь. Молодец, спортсмен! Ты извини, тогда это самое, короче... ну за Дика. Он старый, дурной немного. Подкармливай, не подкармливай, а все одно он только меня и признает. Слушай, у тебя пары рублей не найдется? — пыхтел сигаретой жирдяй.— Трубы горят, опохмелиться бы мне!

— Не, нету,— буркнул Турка и собрался уходить.

— Спорт — это ты правильно, мля... А то сейчас одни алкаши да куряги. Бабы тут бегают симпатичные, присмотрись, мож найдешь себе какую. Такие ягодки встречаются, чесслово! А правительству одни зомби нужны, только дерьмо разводят кругом. Вот, стадион даже не могут отремонтировать. Трибуны рассыпаются, людям заниматься негде, сборная тоже в жопе... ЦСКА не смотрел? Чисто Вагнер Лав красавец,— толстяк колыхнулся, нелепо изобразив уход на встречном движении,— вот так всех обыгрывает. Хоть бы уже в сборную нашу какого-нибудь бразильца заманили!..

Толстяк еще что-то говорил, но Турка уже пошел прочь.

Спустя пару дней Лена ошеломила известием.

— Тетя заболела. Обследование показало, что у нее рак. Совершенно случайно нашли, на плановом медосмотре... — девушка залилась слезами. Турка медленно опустился на кухонную табуретку. Снова увидел жирные подтеки на дверце духовки. Лена тихонько плакала, сотрясаясь всем телом: — У меня же больше никого... Как же это так, тетя? Я не хочу, чтоб она умирала! Не хочу, чтоб как мама...

— Блин... это серьезно так, да?

— Будут делать операцию. Потом химиотерапия. Бедная тетя! Это так ужасно и... непонятно. Я себе места не нахожу. Что же делать?! — Конова подняла голову. Глаза ее превратились в два серых озерца. Тушь вокруг них размазалась, ресницы торчали как пожухлые камышинки. Турка побарабанил по столу, облизал губы.

О раке он знал немного. У курильщиков, говорят, развивается. В начальной школе постоянно этим пугали, но никто не верил, потому что все вокруг курят, и даже старики, бывает, смолят.

— Из-за сигарет? Рак чего вообще? Легких?

— Нет. Женское. Короче, рак матки,— губы у Лены задрожали.— Не груди, а матки! Это же половину внутренностей вырезать! Такой ужас...

Турка кивал, глядя в одну точку. Лена подавила рыдания и теперь лишь тихонько тряслась, будто в ознобе. Лена мало говорила про свою маму. Отец, тетка, ДЯДЯ и все. А Турка из соображений тактичности не спрашивал.

Вот теперь заболела тетка. Сразу воздух в квартире стал тяжелым, как грозовые облака, наливающиеся свинцом перед бурей.

— Сделают операцию, выздоровеет!

— Выздоровеет, конечно,— улыбнулась Конова.— Нужно верить в хорошее, мысль же материальна. Ой, я тебе и чаю не предложила... Хочешь? Ты меня прости, я совсем сама не своя.

— Какой уж тут чай... Да понятно — выздоровеет. Я читал, типа живут с опухолями десять и двадцать лет и ничего не знают.

— Вот именно, не знают. Когда не знаешь — легче. Представь, что тебе осталось жить десять лет,— медленно выталкивая слова, проговорила Лена.— Что бы ты стал делать?

— Фиг его,— пожал плечами Турка.— Да и зачем о таком думать, а? Мысль же материальна, сама сказала.

— А я, если бы знала, что осталось десять лет, начала бы путешествовать. Хотя я и так, наверное, уеду.

— Куда ж ты поедешь? Лен, прекрати,— Турка провел рукой по вспотевшему лбу. В виски начала поддавливать кровь. Сегодня он не бегал и не занимался — весь день отвратительная погода. Никаких тебе проблесков солнца, и вот-вот должен закапать дождь.

— Надоело учиться. Зачем это надо? Какой в этом смысл, скажи мне? Девять классов закончу и свалю из города. Автостопом. Куда угодно, только подальше отсюда.

Турка только покачал головой. Нетрудно представить, что могут сделать с девушкой на трассе. Извращенцев везде полно. Турка принимал слова Ленки не очень-то близко к сердцу, на эмоциях можно сказать все что угодно.

— Мрак в школе один! Хочу в Германию. А еще лучше — в Голландию. Мне она на сто процентов подходит, я много про Голландию читала. А тетя... Положили, в общем. Операция скоро. Вечером сегодня к ней пойду, надо уже собираться, в магазин сходить. Поможешь мне сумки донести?

— Помогу, конечно.

Они купили пару килограммов апельсинов, бананов, яблок. Взяли сок «мультифрут». Лена хотела купить бутылку коньяка, но кассирша заартачилась:

— Ишь, молодежь! Вам точно восемнадцати нет, я вас знаю!

— Мы не себе,— запротестовала Конова.— Тете!

— Знаю я ваших теть и дядь! — Продавщица спрятала бутылку с чайного цвета жидкостью под прилавок. Лена вздохнула, а Турка подал пластиковую банку «Чудо-йогурта» с огромными красными клубничинами на шероховатой мембране-крышке.

Дома разобрали продукты. Лена положила еды в пластиковый лоток с защелкивающейся крышкой — обжаренный рис с морковью и кусочками курицы. Турка вдохнул запах плова и почувствовал, как во рту собирается слюна.

— Тетя сказала, чтоб я ей ничего не привозила. Аппетита, говорит, нет. Но я все равно отнесу. Хочет, пусть ест, не хочет — отдаст кому-нибудь. Сама, кстати, готовила.

Турка обнял Лену, притянул ее к себе.

— Что ты делаешь, не надо... Сейчас идти нам уже, хватит... Хороший мой, поцелуй меня!

* * *

В больнице в нос ударил запах кислой капусты и манки. Турка с Леной прошли в палату, шурша бахилами, с пакетами наперевес. Тетя замахала руками:

— Ой, да что же это, ребятки! Да куда мне столько?

На соседних кроватях тоже лежали больные: две старухи и одна молодая девка, чуть постарше Ленки на вид. Она грызла яблоко и читала детектив в бумажной обложке. Вот оторвала глаза от страниц и снова опустила.

— Здравствуйте,— сказал Турка. Его посетило странное чувство: в груди защемило и захотелось поскорее уйти из палаты. Лена выкладывала продукты на тумбочку, а тетя все охала.

— Ну как ты тут?

— Потихоньку, потихоньку,— Тетя дышала с присвистом. Выглядела она старше, чем представлял Турка, в бабушки Коновой годится. Морщины, лицо красное, сухое.— Дышать тяжело, открой окошко...

— Только закрыла,— пробурчала девица, хрустя яблоком.— Холодно.

— Ничего, потерпите,— сказала Лена и приоткрыла раму.

Девка что-то пробормотала и продолжила жевать яблоко.

— Теть, это мой друг — Артур Давыдов. Мы в одном классе учимся. Он, как и я, уходит после девятого класса.

— Ох, нет у молодежи сейчас тяги к знаниям,— пробормотала тетя.— А как же высшее образование? Теперь без него никуда!

— Ой,— поморщилась Конова,— да что даст эта бумажка? Нет, теть, ты лучше расскажи — как ты здесь и что...

Турка стоял, улыбался, а в голове у него роились невеселые, мрачные мысли.

* * *

Темнеет быстро. Как часы перевели, так в шесть уже ночь.

Все люди когда-нибудь умрут, даже его родители, и Турка думал об этом с горечью. Ему вдруг показалось, что случится это совсем скоро. Раньше и не думал о смерти никогда, ведь это случается с кем-нибудь, а сам он будет жить вечно.

Тут кто-то тронул Турку за локоть.

— Закурить есть? — спросил его какой-то недомерок с раскосыми глазами. Шел он вразвалку, шаркая стоптанными подошвами кроссовок.

— Нету.

— Чо, спортсмен что ли, мля? А если найду?

Турка резким движением впечатал кулак в лицо гопника. Снова закровоточили поджившие было костяшки. Недомерок упал, мыча что-то неразборчивое, а Турка, не глядя на него, ускорил шаг.

* * *

Отец смотрел футбол, Кубок УЕФА. ЦСКА играл с «Интером» на выезде и уже горел 2 : 0.

— Придурки,— сказал отец, не отрываясь от экрана.— Когда они уже играть научатся? Сегодня, кстати, «Барселону» еще покажут!

— Артур, ты голодный? — спросила мама.— Где это ты пропадал? Ой, у тебя кровь, что ли?

— Угу.

Турка прополоскал кулак теплой водой, вымыл руки с мылом. Кисти озябли, и вода казалась кипятком.

— Там чайник закипел. Так, где ты был? — растерянно протянула мама, заглядывая в ванную.

— У Ленки. Да, мам, есть хочу.

— Чего ты злишься-то? Уже и спросить ничего нельзя?

— Я не злюсь,— Турка махнул рукой, а мама прикрыла дверь.

Турка извинился перед мамой. Стыдно стало — она оладушки жарила, старалась и сгущенку открыла.

Он рассказал про Лену, про ее тетю. Отец слушал из зала и одновременно фыркал, поглядывая на экран.

— Кто так бьет... понабрали черномазых, Дуду! Что за имя? А этот, Жо? Все атаки через Жо! — захохотал отец.— Что вы говорите? Ленка, это какая? Бывала у нас она?

— Нет, ты ее не знаешь. Конова, одноклассница.

— Рак — это еще не приговор,— со знанием дела заявил отец.— Чего говорите? Да идите вы сюда, орут — не слышно!

В итоге матч так и закончился вничью. ЦСКА имел шансы забить, но распечатать ворота так и не смог.

— Сейчас можно пока отдохнуть, новости по «Первому» глянуть. Доллар вверх полез, америкосы эти... Когда уже их система рухнет, надувается как мыльный пузырь, накачивают они ее,— но бесконечно это продолжаться не может, верно?

— А во сколько ваш матч? — поинтересовалась мама. Теперь все сидели в зале, и она вязала. С прошлого года что-то ваяет, вроде как кофточку. И как ей только не надоест! Шевелит, двигает блестящими спицами, и на них пляшут синие огни телевизора.

— В двадцать два сорок пять,— ответил папа.

— А кончается в час, наверно? Вы что, будете смотреть и спать мне мешать?

— Ну, Тань! «Барселона» играет же!

— Мне все равно, кто играет! Артуру завтра в школу рано вставать.

— Нет, пропускать такое никак нельзя, ты чего!

— Мам, да я встану!

— Ой, да смотрите что хотите! — передернула плечами мама.

В итоге она легла спать еще до начала матча. К двадцатой минуте Турка начал клевать носом, а в перерыве его разбудил отец:

— Давай иди, стели постель и ложись,— сказал он шепотом.— Что толку мучиться? Завтра обзор голов посмотришь...

Турка встал, словно лунатик, прошел в свою комнату, постелил простынку изнанкой вверх и улегся, позабыв снять носки. Классе в пятом-шестом, если не смотрел полностью матч, то признаться в этом было стыдно. Всех тогда захватила поголовная волна «боления», даже «тотализатор» сделали, собирали деньги. Засыпая, он думал о Лене, о Марии Владимировне, о раке.

В кошмарах Турку преследовало огромное членистоногое существо с сотней глаз, в слизи и с огромными клешнями.

* * *

Муравья снова обоссали в туалете. Но на этот раз он не стерпел, и чуть было не выколол Волу глаз карандашом. Процарапал кожу прямо под нижним веком, кровища текла и текла. Вол даже не сразу понял, в чем дело. Стоит, а у него половина лица залита.

— Вы у мея попьяшете! Вы се-е у мея попьяшете! — бесновался Муравей.

Вроде бы его собрались отправить на принудительное обследование в психушку.

Ссора училки с Шулей вызвала резонанс, только ленивый не обсуждал. Шулю таскали по ментовкам, потому что он состоял на учете. Угрожали условным сроком, но так как Мария Владимировна не написала заявление, то особого хода этому делу никто не дал.

На уроки Шуля не приходил, а Мария Владимировна как ни в чем не бывало рассказывала об изменениях в обществе, о политике и о Ленине. Разве что теперь она казалась Турке еще бледнее, а Тузов и компания вели себя на ее уроках значительно тише, особых вольностей себе не позволяли, хотя, конечно, куда без сальных шуточек.

Вол какое-то время ходил с заклеенной пластырем мордой. Врачам пришлось накладывать швы на порванную кожу, так что спустя пару недель на его лице появился крупный серпообразный шрам.

И буквально в это же время он принес в школу огромную петарду, самую большую «Черную смерть» из всех возможных. С виду она походила на динамит. Тузов, Крыщ, Рамис, Китарь и остальные пацаны столпились вокруг Вола. Каждый считал своим долгом спросить, где именно тот купил петарду и за сколько.

— Да тихо вы! Не мацайте! Чтоб не видел никто,— Вол быстро спрятал петарду в необъятный портфель, внутри которого всегда болталась какая-нибудь дрянь: постеры с голыми бабами, обрывки туалетной бумаги, игрушки из Союзпечати вроде «лизунов».

— Где ты ее хочешь взорвать? — спросил Мнушкин.

— Да заткнись! — зашипели на него пацаны.— Дебил, что ли?!

— Пока еще не знаю,— отозвался Вол. Он весь сиял и лучился довольством. Наконец-то ему удалось привлечь всеобщее внимание.

— Что у вас там, мальчики? — спросила Хазова. Она томно посмотрела на Вовку, и тот смутился. Пока у них так до главного и не дошло, но каждый раз они заходили с Риткой все дальше.

— Ничего! Проходи мимо! — Тузов шлепнул ее по заднице.

— Э! Офигел, что ли, урод?!

— А пошла ты!

— Козел вонючий,— на щеках у Риты расцвели красные пятна. Все заржали. Вова тоже покраснел, но ничего не сказал.

Прозвенел звонок, Вол накинул лямку рюкзака на плечо. Он гыгыкал и хрюкал, снова рожа его стала сизой и лоснилась сальным жиром, а воротник свитера сплошь усыпала перхоть.

Конечно, Волу успели надавать множество советов. Весь урок он хихикал, Дина Алексеевна то и дело одергивала его. Без толку.

И вот, наконец, звонок.

Снова тычки локтями, хохот, подначивания.

Гладкая, бледно-желтая серная головка занялась от одной спички. Из «динамита» вылетел оранжево-пурпурный фонтан искр, раздался характерный звук «х-ц-с-с-с-с».

Он почему-то решил смыть петарду в унитаз. С одной стороны, безобидный вариант, с другой — всегда можно убежать, смешаться с толпой, возле туалета же куча народу.

Хотя тут же, на втором этаже, кабинет директора и учительская.

Вол сразу же бросил петарду в «очко» и дернул слив.

Заревел бачок. Пацаны как ни в чем не бывало вышли из туалета, занятые, на первый взгляд, обычной беседой:

— Сейчас какой урок? А потом?

— Не толкайся, эй!

У тех, кто остался в туалете, заложило уши. Многие завизжали — даже пацаны. Почти у всех физиономии вытянулись и стали какими-то одинаковыми. Белые, застывшие маски с широко распахнутыми глазами и открытыми ртами.

Сразу за взрывом послышался хруст. Треснула труба где-то внутри стены, и потоки дерьма начали искать себе дорогу. На первом этаже потемнел потолок, с него кусками ляпала штукатурка.

Лампы на всем этаже мигнули и погасли. Позже выяснилось, что от замыкания сгорел древний щиток.

Закипела невообразимая суета. Вол не смеялся и не хихикал, и как ни странно, на его лице появилось подобие виноватого выражения.

Учителя метались по лестницам, часть школьников отпустили — отрубилось электричество, и классы с шумом и криками бежали на свободу, домой, по дороге обсуждая случившееся.

Но никому из девятого «А» уйти не разрешили. В класс русского языка и литературы поочередно вошла куча преподавателей, в том числе и классная — Анна Имильевна, завуч простукала каблучками, зашла пышущая гневом музычка.

Вол сидел за последней партой, сложив руки перед собой.

— Почему нам нельзя уйти? — спросил Мнушкин.— Всех ведь отпускают.

— Ты можешь идти хоть сейчас,— отозвалась Анна Имильевна.— Забирай документы и вперед. Инесса Моисеевна, вам слово.

— Все заткнулись быстро! — провизжала Галина Марковна.

— Зачем же так грубо,— завуч изобразила улыбку. Глаза у нее, однако, светились спокойствием и мрачным светом, если не сказать злобой.— Они умные детки, все понимают. Итак, я знаю, что взрывчатку в канализацию смыл кто-то из вас.

— Петарду,— сказал кто-то. Возможно, Проханов.

— Пускай так. Не суть важно,— Инесса Моисеевна бродила вдоль первых парт, заложив руки за спину. В углу доски лыбился полустертый человечек с пенисами вместо рук и ног. Сверху корявая подпись: «Мазурик», и стрелочка.— Виновный не хочет признаться? Тогда всем достанется. Ремонт влетит вашему классу в копеечку. Ну, кто же это сделал? Хорошо, молчите. Покрываете преступника! А он преступник на самом деле. И трус, что самое важное. Ну, я жду. Вы будете сидеть здесь до тех пор, пока кто-нибудь не скажет правду. А ведь тут как минимум несколько человек замешано.

— Да что вы с ними церемонитесь! Он это, я знаю! — Галина Марковна схватила за ухо Вола и начала раскачивать его на стуле из стороны в сторону.— Признавайся, гаденыш! Сидит он тут, ручки сложил!

— А чо я?! Отпустите!

— Урод моральный! Инесса Моисеевна, да Вол это! Вы только поглядите на эту рожу хитрющую! У, дебил!

— Чо вы обзываетесь? Чо сразу я?!

— Спокойно, Галина Марковна. Времени у нас много,— Инесса Моисеевна снова растянула бесцветные змеиные губы.— Можем хоть до завтрашнего утра сидеть, правда? Никто никуда не спешит.

Турка глядел на одноклассников. Все прятали взгляды. Конечно, почти все знали, что это Вол взорвал петарду. Только кто ж захочет сдать? Стукачей везде ненавидят. О чем-то шептались девчонки, Хазова сидела и кусала губы.

— Почему вы думаете, что это наш класс? — сказала Воскобойникова.— Может, это из параллели. Или вообще из восьмого.

— Алина, нам все известно. Осталось лишь выяснить, кто именно это сделал. Ну? Трус никогда не сознается — на то он и трус. А другие-то? Боитесь, что ли? — говорила Анна Имильевна.— Мы не хотели тыкать пальцем, но так уж вышло. Человек этот должен быть наказан, иначе будут наказаны все.

— Мы не стукачи,— сказал Березин.

— При чем тут это? — Инесса Моисеевна развернулась и оглядела доску. «Мазурика» она сто процентов заметила, но виду не подала.— Придумали, тоже мне еще, кодекс чести. Повторяю, времени у меня много. Ты хочешь что-то сказать? — кивнула она Хазовой. Та опустила дрожащую руку.

— Да. Я видела, кто это сделал. Это Саша взорвал, Вол.

Класс охнул. И сразу после этого — опять тишина. Никто не шевелился, с закрытыми глазами без труда можно было представить, что кабинет пуст.

— Что и требовалось доказать.

— Не я это! Да она чешет, а чо сразу я?!

— ВСТАНЬ, УРОД! — гаркнула Галина Марковна. Анка только кивала своей головой — без шеи. Музы́чка схватила Вола за воротник и сдернула со стула. Он вцепился в ее пухлую кисть в кольцах и резко оторвал от себя. На морде музы́чки попеременно отразились разные эмоции: брезгливость, злость, испуг.

— Ты что же это...

— Отпусти меня! — проорал Вол, краснея.

— Как ты со мной разговариваешь, падаль?!

— Сама ты падаль!

— Видите? Он сам себя выдал. С потрохами. Да в общем-то я сразу на него и подумала,— кивнула классу Инесса Моисеевна и, сохраняя достоинство, поплыла к выходу, как ни в чем не бывало. Вол будто бы пришел в себя, глаза у него поблескивали, словно стеклянные. Галина Марковна отчитывала его визгливым голосом, то и дело замахивалась, а он теперь лишь втягивал голову в плечи, насупившись.

— Все могут быть свободны...

— Шлюха! — выкрикнул Вол и, сорвавшись с места, выскочил в коридор.

— Это он кому сказал? — растерянно спросила музы́чка.— Мне?

Истерически захохотал Проханов.

* * *

Турка лежал и размышлял, размышлял. Воскобойникова точно что-то затеяла. Живет ведь на одном этаже с Марией Владимировной, и тот разговор...

Зачем вообще об этом думать? Почему должно что-то случиться?

Турка не мог объяснить. Последние три дня ему снилась откровенная белиберда, он просыпался с мутной головой, разбитый, но снов не помнил. Мутные осколки кошмаров, кажется, застревали потом где-то глубоко в груди и покалывали, покалывали.

Еще этот Тузов, с Крыщами и прочими. От них тоже всего можно ожидать.

Вот уж верно: никто не знает, что случится завтра.

ГЛАВА 14
ВСЕ ОЧЕНЬ ПЛОХО

Спустя несколько дней пошел первый снег. Мелкие неуверенные снежинки падали на асфальт, на крыши, на газоны и сразу таяли.

В выходные отец задумал починить бачок в туалете. Турка без удовольствия съездил на рынок вместе с ним. Походили среди кранов, унитазов и различных труб из ПВХ, повертели в руках целую кучу блестящих гаек, надоели продавцам вопросами. В конце концов какой-то мужик с желтоватой бородой (особенно тошнотворным цвет был вокруг рта) и колючими глазами продал им поплавок и дал парочку житейских советов:

— Вы это, сами там смотрите, шоб подходило. Стандарты, они знаешь, разные бывают. У кого-то подошло, а у другого — ни хрена. Если чо, я вам поменяю, не беспокойтесь. А коли не застанете меня на точке, так спросите Яшу...

Бачок починили.

Мама что-то совсем похудела, как тень. Беспокоится, может, от этого?

После Турка подумал о Коновой. Что-то и в школе ее вчера не было. Наверное, тетю из больницы выписали, а Лена с ней сидит, как раз же про три дня она говорила.

Ритке Хазовой объявили бойкот. «Палево» и «стукачка» — самые безобидные словечки, которыми ее обзывали.

Девчонки от нее отвернулись, перестали с ней разговаривать, даже главная подружка, Воскобойникова. Вовка сидел с Ритой, соответственно, и его грели «лучи славы» бедняжки.

А Турка теперь сам должен был разбираться в дебрях математики, поскольку сидела Рита то на среднем ряду, то возле окна. Турка злился, тем более что Конова опять забила на школу.

С Аликом посмеялись, потрепались. Опять он со своими видео, и все говорит, что мол, Воскобойникова в прошлый раз пришла в этой-своей-юбке, и он и так старался и этак, но снять на телефон все равно не получилось.

Снятое им видео, с того самого дня, когда Рамис поднял Марии Владимировне юбку, давно бродило по школе — как это бывает, сначала один попросил передать по «блютузу», потом другой, и пошло-поехало.

Кроме того, у него на «Нокии» была куча фотографий русички со всяких-разных ракурсов. Турка лишь присвистнул: когда это толстяк успевал снимать?

Взгляд у Алика все время бегал, он то и дело облизывал губы и вообще выглядел взволнованным, когда показывал эти фотографии. Их он никому не пересылал.

— Ты бы заканчивал с этим. А то ослепнешь,— сказал Турка. Алик хмыкнул.— Все бы тебе фильмы снимать, режиссер...

— Ага, пропалит тебя кто-нибудь,— Проханов хмыкнул и многозначительно посмотрел в сторону Вовки.— Он ведь мутит с Хазовой. Расскажет ей или видос вдруг покажет, и все...

— Да ну, Вован нормальный пацан,— отмахнулся Алик.— И чего будет-то? Кто докажет, что я снимал?

— Ну, так-то да,— пожал плечами Проханов.

— Ты чего, опять решил актером стать? — Алик спрятал телефон.— Давно тебя не было на кружке. Сколько раз звали, вот и на первое сентября, на День учителя, а ты отказывался.

— Пф! — Проханов фыркнул.— Да нафиг оно мне надо было? А теперь у нас в режиссерах Машенька...

— Машенька? — Турка покачал головой.— Так вы ее называете? Так чо, вы там готовите что-то к Новому году? Опять фигня какая-нибудь?

— Ага. Опять. Только до Нового года далеко, но уже готовимся. И Мария Владимировна типа участвует,— кивнул Алик.— У нас там особая сценка, даже целый спектакль.

— Вот бы поучаствовать с ней в постельной сцене... — мечтательно протянул Проханов.

Пацаны хором заржали.

Еще на труде вчера надо было сдать «проект». Самые лучшие работы вроде как пойдут на конкурс, так сказал дядя Жора, только неизвестно, на какой.

Вовка ходил смурной какой-то, все больше себе на уме. Спросит Турка что-нибудь, так он ответит невпопад.

Турка смастерил фонарик из спичечного коробка, крохотной лампочки и нескольких батареек. Получилось, если честно, так себе, как у детсадовца, но у остальных и того хуже вышло. В итоге поделка оказалась в пятерке лучших работ, и, соответственно, Турка в журнал получил «отлично».

— Ектить моктить! Изощрился! — разглядывал очередную штуковину дядя Жора.— Не ожидал от вас такой прыти, не ожидал! Так, у тебя что? А почему не горит? Двигаться должно, угу... Ну, задумка мне нравится,— он вертел перед собой непонятный предмет, перевязанный изолентой, с торчащими в разные стороны проводами.— Робот, шут его дери. Ну не знаю. До японских, оно, конечно, далеко, но мне нравится,— трудовик вернул «робота» Мнушкину и поставил отметку в журнал.

* * *

Турка встретил по дороге Воскобойникову. Она шла на каблуках, с сумочкой под мышкой, накрашенная, расфуфыренная.

— Ты куда это? Привет!

— А, привет. День рождения у подруги.

— Слышь, это... А о чем ты трешь с пацанами? — спросил Турка.— Ну, с Тузовым, с Шулей.

— В смысле? — Алина захлопала ресничками.— Как понять «тру»? Просто общаемся.

— Общаетесь? Слушай, все хотел спросить... Почему вы так с Хазовой? Она же подруга ваша, и все такое. Неужели из-за того, что она Вола спалила?

— Да нет, конечно,— прищурилась Воскобойникова.— Кому нужен Вол? Просто... Ритка выскочка. И вообще тупая. Ну как тебе объяснить это? Короче, считает себя слишком умной, кривляка. Вот мы с девочками и решили ее немного проучить. Ладно, я и так уже опаздываю! Чао!

— Давай.

Турка поглядел ей вслед и пожал плечами.

«Фигня какая-то».

Чтоб Алина о чем-то там говорила с Шулей? Или с Тузовым — «просто общалась»? Да это чепуха полная. Что у них может быть общего, ну что? Какие такие интересы?

Турка потер затылок и нащупал шрам. Еще одна загадка. Сколько их еще будет?

А может, это он выдумывает все.

* * *

Конова долго не открывала. Хотя кто-то ходил за дверью, что-то пару раз грохнуло. Турка хотел было уже уйти — фиг бы с этой сумасшедшей,— но тут дверь распахнулась.

— А, заходи! — махнула рукой Лена. Она чуть пошатывалась. Сделала шаг назад, потом вперед, ухватилась за куртку, висящую на вешалке. Петелька лопнула, и куртка спланировала на пол, сверху посыпались тюбики и баночки с кремом для обуви. Сама Лена привалилась плечом к вешалке и сдула со лба прядь волос.

— Ты пьяная, что ли, Лен?

— Немнож-жко. З-заходи, дверь з-зак-крой, мне не нужен тот, д-другой,— Конова хохотнула.— Скажи, я тебе нравлюсь? — она попыталась принять кокетливую позу, но получилось жалко и смешно. Турка скинул кроссовки, принюхался. Спиртным от Коновой тянуло на целый километр.

— Нравишься. Только чего это ты так нажралась?

— Фи, как грубо! Нельзя со мной так р... р-разговаривать! — Девушка икнула и засмеялась. Турка успел ее подхватить, иначе Ленка стекла бы на пол, обрушив на себя вешалку целиком.

— С пьяными девицами только так и общаться. Тетя как? Из больницы выписали? Операция? — Турка пощелкал перед носом Лены пальцами. Она продолжала усмехаться и бормотать что-то неразборчивое.— Так, сколько ты выпила?

— Н-не зн-наю, живот болит. Артур, ну скажи, что ты меня любишь! Должен же кто-то любить меня на этом свете...

— Пошли в зал.

Турка на горбу потащил Лену. Расслабленное тело облепило плечи и спину. Кто бы мог предположить, что Ленка такая тяжелая! А еще она дышала ему в ухо горячим дыханием и пыталась поцеловать.

— Ты мой хороший... Ой! Зачем же швырять так? Артурчик! — Турка с досадой оглядел Конову. Только сейчас заметил, что она практически голая. В черных кружевных трусиках и в скользкой маечке цвета ртути на тонких бретельках.

— Что ты тут устроила? Почему в одних трусах?

— А тебе не нравится? — Конова приподнялась на локтях и медленно раздвинула согнутые в коленях ножки.— Ну-ка! Быстро иди ко мне! Ты же хочешь свою Леночку, да?

— Нет! Не хочу.— В джинсах у Турки возникло до боли знакомое напряжение. Лена закусила пальчик зубками, а другой рукой указала вниз:

— А твой дружок, кажется, не прочь. Давай иди сюда уже!..

Турка вышел на кухню. Так и есть. Кружка с котятами, рядом практически пустая бутылка, лишь немного маслянистой жидкости на донышке. Наверное, Ленка купила коньяк в другом магазине, не все ж такие, как та кассирша.

Турка налил из графина питьевой воды в стаканчик.

— Выпей. На, воды попей и нормально расскажи, что случилось.

— П-почему обязательно должно было что-то с-случиться? — захлопала ресницами Лена. Без косметики она выглядела совсем уж ребенком. Взгляд Турки то и дело цеплялся за грудь и за кружевные оборки трусиков.— Аут май лайф, аут май майн, аут зе тирс ви кент денай...

Конова пела, притом почти без фальши, и Турка сразу уловил мотив. Эту песню «Sunrise avenue» уже закрутили до дыр на «MTV», «Fairytale gone bad».

— Хватит кривляться! — Турка против воли потер промежность, и это не ускользнуло от Ленкиного внимания.

— У тебя же встал! Давай, сначала сделай дело, а уж потом поговорим! А еще лучше — принеси мне бухла. На фига твоя вода? Вот ты глупый, а! — Теперь Конова встала на четвереньки и стала изображать кошку. На дне глаз девушки плескались игривые смешинки.

Турка потер лоб и застонал. В другой ситуации он бы воспользовался предложением. Почему нет? Но сейчас...

— Что с тетей? — спросил Турка.

— Выписали ее,— кивнула Лена.— Да и что ты заладил как попугай? Лучше иди сюда и поцелуй меня как следует.

— Так... с ней все нормально? — Турка вместе со стаканом в вытянутой руке шагнул к дивану. Лена внезапно выпрямилась и одним резким движением выбила у него из рук стакан:

— Болван! Сколько можно спрашивать одно и то же? Если не хочешь меня, то вали отсюда. Только свистну, и десяток других прибежит, не таких болтливых!

Стакан не разбился, на ковре расплылись пятна воды. Турка отвел руку назад, отвесил пощечину, и Ленка захлебнулась очередной фразой. Она прижала руку к щеке, чуть приоткрыла рот, и в глазах появился туман. Следом по щекам поползли дорожки слез.

— Зачем ты меня ударил? Что я тебе сделала? Все меня ненавидят! О Боже, зачем я появилась на свет! — Конова разрыдалась. Упала лицом в подушку, сотрясаясь всем телом. Турка глядел, как подрагивают ее ягодицы, а потом устало опустился в кресло.

Конова бубнила что-то, не отрывая лица от подушки.

Турка решил ждать. Как гасить истерики, он не знал, так что просто сидел и ждал. Пьяных он не очень-то любил. Особенно отвратительно видеть в подпитии родных людей — отца, например, или маму. Девушки тоже отдельная тема. А один раз родители ушли праздновать Новый год к соседям, Турка тогда еще был маленький и сидел дома с бабушкой. Артурчика испугал вид растрепанной и пошатывающейся мамы, и как она тогда глупо хихикала, стягивая сапоги.

Конова меж тем села. Смахнула слезы. Губы у нее распухли, как вареные сардельки, волосы спутались и висели неаккуратными прядями.

— Она со мной не разговаривает. Почему? Ты не знаешь?

— Кто?

— Мама. Она приходила. Не во сне, а так. Я спрашивала ее, почему она не хочет меня забрать. Я хочу уйти к ней! Мама, почему ты меня оставила?!

Турка шмыгнул носом, покосился в сторону входной двери.

Лена меж тем застучала зубами. Турка помялся и подсел к ней.

— Лен, ну что ты такое городишь? Не нужно тебе о таком думать. Нельзя вообще такое говорить!

— Почему? Ведь я правда хочу, чтоб она меня забрала. Боже, как мне страшно! И живот болит... Что-то такое там двигается. Артур? — девушка будто бы только сейчас заметила его присутствие. Сказала она эту фразу практически трезвым голосом.— Почему она не хочет забрать?..

— Лен, прекрати. Давай, тебе нужно в душ. Освежиться.

— Не хочу. Зачем мне в душ? — надула губки девушка.— Какой ты глупый все-таки. Я хочу умереть, и мне теперь ничего не нужно. Перережу вены, и в путь, к маме. Все на хрен!

Турка взял Лену на руки. Пронес по коридору, толкнул ногой дверь ванной, а Конова все смеялась и просила, чтоб он отпустил немедленно, и несла прочую ахинею.

Уже стоя в ванне, Лена снова хихикнула и заложила палец в рот:

— И что дальше? — Слезы на лице уже просохли, мордашка озарилась лукавством.— Не хочу мыться!

Турка молча повернул кран с синим кругляшком. В эмалевую ванну брызнула упругая струя.

— Ой! Холодно!

Какое-то время Турка повозился с Ленкой, поливал ее то теплой, то холодной водой из душа. Майка и трусики промокли, Лена перестала петь и нести чепуху, и теперь только шмыгала носом и крупно дрожала.

— Принеси халат, пожалуйста. Он на верхней полке, в шкафу.

Пока Турка ходил, Лена сняла маечку и затолкала ее в корзину для грязного белья. Кинула на кафель полотенце для ног и стояла, скрестив на груди руки. Турка зацепил взглядом крупную родинку чуть ниже ключицы. Странно, раньше не замечал.

— Спасибо.— Турка поддержал девушку, помог ей перешагнуть через бортик. Крупные гусиные пупырышки на влажной коже тут же скрыла махрушка халата. В квартире повисла неестественная тишина. Ленка затянула поясок: — Пошли на кухню, Артур. Кофе хочу.

Спустя некоторое время на клеенке дымились две кружки с ароматным напитком. Лена глядела в одну точку и говорила:

— Ничего не смогли сделать. Сердце не выдержало наркоза. «Такое бывает, клапаны изношенные. Совсем за собой не следила»,— так врачи сказали. Она... умерла,— Лене далось, наконец, это слово, и глаза ее снова увлажнились.

— И что ж теперь? Хоронить?..

— Ага. Эти припрутся, из деревни. Сестра ее и родня... Ну, к которым я летом ездила. Нет мне теперь жилья. Она же наследница, Галя, и теперь захочет жить здесь. Только я с ними долго не протяну. Не нужен мне никто. Значит,— Лена сделала глоток и пожала плечами,— продавать придется квартиру. Я знала, что так и будет!

Мне снился сон, и там была мама. Прямо как тебя ее видела. Вроде как мы в комнате, и там стоят два кресла — не наши, а другие какие-то. А я напротив сижу, на диване. В одном кресле мама, в одежде времен ее молодости — сарафан цветастый, синие туфли на высоком каблуке. Прическа еще советская, взбитая... Я хотела к ней поближе подсесть, а она рукой мне показывает: «Сиди, дочка». Я спросила: «Почему мне нельзя к тебе?», а она ответила, точнее, слова просто появились у меня в голове, как мысли: «Не для тебя это место».

И тут в комнату заходит тетя. Веселая, улыбчивая. И с ходу, значит, в это кресло садится. А мама улыбается, и рот у нее... Боже, не могу!

— Не надо рассказывать. Если неприятно, и все такое,— Турка хлюпнул кофе.

— Слышал? Или показалось... Что-то в зале звякнуло. Так и после... Ой, я больше не могу. По ночам шорохи, скрипят половицы, и как будто вздыхает кто. Скорее бы все закончилось, скорее бы уже разменять квартиру и уехать отсюда!

Щелкнул замок. Это Турка услышал отчетливо, даже вздрогнул от неожиданности. В прихожей затопали ноги, дверь стукнула о косяк.

— Эка, холодина! Мороз, ветер... елки-моталки, я думал, у них тут теплее, в городе-то.

— Тихо ты! Веди себя прилично, Коль.

— Галя, мне уж и слова молвить нельзя!

— Ой, здрасс-сти,— на пороге кухни появилась сухонькая женщина — щеки изборождены морщинами, уголки рта загибаются вниз в вечной обиде. За спиной у нее маячила раскрасневшаяся мужицкая рожа с носом картошкой и трехдневной щетиной.

— Чаевничаете? Ну, добре,— пропыхтел он и скрылся в ванной. Послышался шум, фырканье. Плеск, затем звук смываемой воды и шипение бачка.

— Здравствуйте, тетя Галя,— поздоровалась Лена.

— Добрый день,— кивнул Турка.

— Ой, так холодно на улице! Прям зима. Ветрила такой, ум за разум! У нас в Родионовке-то тоже, чай, не лето, но у вас прям совсем дубняк. Все уж решили, выхлопотали. Похороны завтра, поминки... Сколько забот с этим, сколько хлопот! Мы с Клавкиной стороны родню позвали, с деревни. Пусть проводят покойницу в последний путь, как полагается. Бедная моя сестренушка! — женщина залилась мутными слезами.

Турка заерзал. Лена спокойно потягивала кофе. Лицо ее застыло, будто превратилось в маску, и она, как робот, подносила к губам чашку — а та едва заметно подрагивала.

— Мы на минутку-то заскочили. Сейчас погреемся, и того, еще кой-куда сходить надо. Темно, а что поделаешь? Насчет столовой уже договорились. Там поминки и будут. Дешево и сердито, а чего денежки-то разбазаривать? Им только бы нажратьси, алкашам! Свадьба, день рождения, похорона́ — без разницы. Тьфу! — женщина плюнула в раковину. Дядя Коля вышел из туалета, жамкая руками полотенце, и потопал в глубь квартиры, громко сопя, как боров.

— Давай на лестнице допьем? — сказала Лена. Она скорчила смешную рожицу и легонько прикоснулась пальцами к уху.

Захватили кружки, Лена надела обтягивающие лосины, сверху накинула пуховичок с капюшоном. Спустились на пролет ниже, устроились на подоконнике. Тут воняла маслом банка из-под сайры, набитая окурками.

— Как они меня достали,— шепотом сообщила Лена.— При них ни о чем нельзя говорить. Ох, спасибо тебе! Думала, с ума сойду. До сих пор голова кружится. Выпила не так уж много, там открытая бутылка была, остатки. Просто так на меня подействовала ситуация... Нервный срыв типа.

— Тебе точно лучше?

— Нет,— мрачно покачала головой Конова.— Лучше мне теперь будет не скоро. Короче, видишь, какие они? Деревенские... И еще Толик приедет, урод толстый. Все лето ко мне подкатывал. И дружки его вонючие, козлы, бухари. Короче, сброд. Свалю, уеду куда-нибудь. На море, может быть. А ты ко мне потом приедешь, летом. А то здесь отстой один, как будто весь город сделан из слякоти.

— Вспомнила она про лето. Новый год скоро,— сказал Турка.— А я никогда не был на море. Все как-то денег нет у родичей. То одно, то другое.

— Поехать бы вдвоем! — мечтательно протянула Лена.— Хотел бы?

— Еще бы! Да ты так не переживай,— сказал Турка и сделал глоток. Кофе уже остыл, но над кружками вилась дымка пара.— Образуется все как-нибудь. Если Толик этот полезет, то мне скажешь, поговорю. И это, даже думать не смей про «мама, забери меня».

— Легко тебе говорить! Просто мне все надоело, а теперь еще и тети нет. Ну, кому я нужна? Когда вот такая погода и приближается Новый год, кажется, что весна никогда не настанет. Иногда мне снятся страшные сны. Снятся сны, что мне не дожить до весны... Снится, что вовсе весна умерла.

— Ты что, вообще? — округлил глаза Турка.

— Это песня. Смысловые галлюцинации.

— Мне, Лен... Ты нужна мне. Это, про вены... Даже не думай. И больше «травку» не кури, ладно? У тебя есть я. Правда же, ну?

Они обнялись и долго стояли, глядя в темноту за окном. Напротив, один за другим зажигались желтые прямоугольники окон.

Разорвалась петарда, и эхо злорадно подхватило отголоски хлопка.

* * *

— Давай разбирай. В армию идти собираешься? Или так и будешь хохотать всю жизнь?

— А чо-о?

— Давай, Вол,— Василий Иванович мотнул дулом «калашникова».— Тут нет ничего страшного.

Вол все-таки вышел к доске. Небывалый случай. Турка вперился в него взглядом. Лицо изрыто оспинами и кратерами от уже выдавленных и только назревающих прыщей. Волосы сальные, с перхотью, и губы потрескавшиеся, обветренные.

Вол неуверенно взял предложенный Чапаем автомат. Постучал по пеналу с принадлежностями, поковырял ногтем приклад. Попытался выудить шомпол, но тот не поддавался, потому что Вол тянул недостаточно сильно. Лицо у него мигом покраснело, лоб прорезали морщины. Он сосредоточился и вдруг оторвал рожок. Автомат выскользнул из вспотевших пальцев и загрохотал по паркету.

— Ничего, подымай. Это ж не фарфоровая статуэтка, ничего с ним не случится. Лишь бы паркет не поцарапал.

— У него кровь,— сказал Водовозов Гриша.

— Капает,— эхом отозвался его брат Леша. Близнецы лучше и быстрее всех выполняли сборку-разборку. И дело не только в том, что они сидели за первой партой. У них было какое-то врожденное чутье. Собственно, их «электроподелка» заняла второе место на областных соревнованиях, то есть руки у Водовозовых росли из нужного места.

Хотя они и говорили, тоже хором, что «второе место — для неудачников».

— Елки-палки! Руки изнеженные, как у барышень! Иди в медпункт, пусть там тебе перекисью зальют царапину. Вол, ты слышишь?

— Угу,— промычал тот, тупо оглядывая царапину. «Калаш» он уже поднял и теперь вертел в руках рожок.— Блин, почему не получается?

— Потому что ты тупой, Вол! — сказал Мнушкин.

— Мнушкин! Давай выходи. В норматив уложишься?

— Да я это... Можно потом?

— Быстро,— мотнул головой Василий Иванович.— Сейчас посмотрим, какой ты *острый*! — Чапай выделил последнее слово.

Естественно, у Мнушкина получилось чуть лучше, но в норматив он не уложился. Обэжэшник скупо похвалил Женю и сказал, что «дело тут не в уме, а в сноровке, и чтоб впредь он ничего подобного не слышал». Следом вышел Вова.

— Готов, Плетнев? На старт! Внимание! Марш! — Чапай нажал на кнопку секундомера. В руках у Вовки замелькали детали. Щелчок, звон, лязг, стук. Вова передернул затвор, положил автомат на парту и поднял ладони.

— Фига се! — присвистнул Водовозов.— Сколько там?

— Двадцать восемь секунд,— протянул Чапай. Он глядел поверх очков то Вовку, то на «калашников», то на секундомер.

— У меня тридцать пять было! Как так?!

— Давай еще раз, Плетнев!

Снова в руках у Вовки замелькали детали. Турка не успевал следить за движениями. То же самое, как глядеть на пальцы скрипача или пианиста. Уверенность, напор, выверенные, без всяких излишков, движения. Щелчок, еще щелчок, глухой перекат металлического ствола по ДСП-шной крышке парты. Вот ствол смотрит в потолок, зияя дырой «магазина». А вот полностью собранный автомат лежит перед изумленным близнецом Водовозовым.

— Стоп! Сейчас даже быстрее, на пару сотых... Ну ты и монстр! Так, я понял. Давай, Гриша, засечем тебя.— Водовозов пожал плечами и оглянулся, ухмыляясь. Вовка отошел чуть в сторону, сохранная достоинство. Хазова ждала его за партой, пряча взгляд. С ней пока так никто и не разговаривал, бойкот не отменили.

— Погнал!

Близнец Гриша тоже справился быстро. Но все-таки до результата Вовки не дотянул.

— А, фигня. Еще не размялся просто!

Но ни с третьей, ни с четвертой попытки перебить время Вовки у Гриши не получилось. Тогда он бросил в сердцах автомат, обошел парту с потным и красным от досады лицом, уселся на место.

— Брат будет пробовать? — спросил Чапай.— Давай, Леха!

Следом попробовали свои силы и другие пацаны. Затем Вова обновил свой рекорд, и Чапай, кажется, немного заволновался. Нахмурился и все вглядывался в электронное табло.

— Так, сынки,— он сдернул с шеи толстый потертый шнурок.— Кто засекать будет? Сейчас Василий Иванович вам продемонстрирует сборку-разборку. Чем больше попыток, тем лучше идет. Не поняли? Короче, как с бабами. Чем больше подходов, тем меньше суеты и трепета. Я не просто так рассказываю, многие из вас уйдут после девятого — так как же я могу вас неподготовленными к жизни отпустить? — Некоторые пацаны засмеялись, девчонки зафыркали, хотя почти все уже привыкли к скабрезностям Чапая.— Хотя сейчас такая молодежь — вы меня и сами чему угодно научить можете, да?

Секундомер взял Петя Русаков.

— Давай,— кивнул ему Чапай.— Я готов.

— Раз, два, три! — Петя нажал на кнопку. Обэжэшник действовал тоже быстро и уверенно. Разобрал, собрал. Руки у него слегка подрагивали, а оно и немудрено: с утра уже успел накатить.

— Ой! Я, кажись, не то нажал,— нахмурил лоб Русаков. Все заржали, кто-то застонал.

— Ой ло-о-ох, ой Петьк-а-а-а,— протянул Мнушкин.

— Слышь, ты! Вот гад, саботируешь? Так, секундомер назад. Гриша! Засекай заново. А то с этим комедиантом мы возиться будем еще сто лет. У, вредитель! — Чапай шутливо погрозил Пете кулаком. Тот пожал плечами:

— Да он фиговый какой-то. Кнопки западают.

— Так пальцами надо нежно тыкать, аккуратно! Все, давай отсчет!

То ли от волнения, то ли от досады — Чапай уронил на парту магазин, и, соответственно, результат смазался.

— Еще раз! — на висках у Василия Ивановича вздулись и пульсировали голубые жилки. Лицо покрыла испарина. С третьей попытки обэжэшник развил достаточную скорость. Возвратный механизм, газовая трубка, шомпол, сам автомат — все это мелькало в ловких, заскорузлых пальцах препода.

Водовозов засек время как надо, Василий Иванович поднял обе руки вверх, показывая, что сборка завершена.

— Ну? Сколько?

— Двадцать шесть и пять. На одну целую и шесть сотых больше, чем у Плетнева.

— Быть не может. Дай-ка сюда! — Василий Иванович смахнул со лба пот и схватил пластмассовую восьмиугольную коробочку секундомера, чуть шнурок не оторвал. Вгляделся в цифры, отодвинул от себя секундомер на вытянутой руке: — Ни черта не видно. Подайте очки! Охо-хо, так и есть. Ладно, давайте еще разок!

Затрещал звонок. На пороге появился Вол с клочком грязноватой ватки между пальцами.

— Можно?

— Ты где шлялся весь урок? Курил? — поинтересовался обжэшник.— А ну, журнал сюда дайте. Сейчас «энку» поставлю!

— А чо-о? Я в медпункт ходил!

Все посрывались с мест, скрипя ножками стульев по паркету, сдвигая парты, смеясь и гогоча. Хазова бросила взгляд на Вовку, и щечки ее порозовели пуще прежнего.

— Домашнее задание — четырнадцатый параграф! Про террористов почитаете, буду спрашивать! — проорал обжэшник.— Нет, это надо подумать — рекордсмен! Что уставились? Ну, потеряешь тут навык, с вами, болванами! На следующем уроке, через неделю, повторим. Про патроны буду рассказывать.

— Ну ты даешь! — Турка с восхищением хлопнул приятеля по плечу. Тот лишь хмыкнул.

* * *

— «На седьмом этаже, за семь часов счастья, спасибо тебе, и знаешь теперь...»,— орал телевизор.

Турка жевал бутерброд и думал про стрельбище, и про маму, и про Конову. Поступит он в электротехнический? Или в колледж при ДГТУ? Так там платное отделение...

— На седьмом этаже... — повторил Турка и с тоской поглядел на кривляющуюся певицу. Выключил телик. Мария Владимировна живет на пятом, а с ней в одном доме живет Воскобойникова, которая сегодня...

Турка запихнул в рот остатки бутерброда. Надо пройтись проверить. Ведь не может просто так быть комок в груди, не может. Даже если Алина (а что они еще могли обсуждать с Шулей?) и не собирается ничего затевать, нужно сходить и проверить. И... предупредить Марию Владимировну, а почему нет? Хотя она и сама догадалась уже, наверное.

Из маминой комнаты тянуло резкими запахами лекарств. Когда Турка возился в прихожей со шнурками, подошел отец.

— Ты куда опять? — спросил он, потирая небритый подбородок.— Все тебе дома не сидится, лучше бы уроки учил.

— Я на полчасика.

— К Вовке, что ли?

— Ага. К Вовке. Что там случилось, пап?

— А? Да маме плохо что-то. Ты, это самое, долго не шляйся, ладно? Без эксцессов чтоб.

— Хорошо.

* * *

Сначала Турка шел себе и шел, медленно. Темноту в переулках изредка разрезали фары легковушек, по стенам скользили желтые пятна, высвечивая стыки между бетонными плитами многоэтажек. Скользнут тусклые отблески по окнам-глазницам и затухнут в черноте.

Турка побежал. Ворвался в подъезд, столкнулся с каким-то мужичком — показалось, что он его уже где-то видел. Перескакивая через три ступеньки, рванул вверх, на пятый этаж. Сердце клокотало в самой глотке, и краем сознания Турка отметил, что не зря он бегал на стадионе все это время.

Воскобойникова, Воскобойникова, она навела их! Потому что... потому что почему?

В голове вертелся тот диалог с Алиной, но Турка не мог и не хотел разбираться с роем мыслей. Откуда он знает?

Перед ним стояла насмешливая, ехидная мордочка Воскобойниковой, и отголоски разговоров с ней шумели в ушах вместе с кровью.

При чем тут Алина, если...

Дверь закрыта!

Турка согнулся пополам, тут же взял разбег и врезался в филенку плечом. Он помнил, как выглядит замок изнутри, помнил, как думал о том, что его без труда можно вышибить, и вот теперь налетал на дверь всей массой, а косяк даже не думал поддаваться.

Отдышаться... Спокойно, спокойно.

Р-РАЗ!

Турка с треском влетел в прихожую. Падая, завалил вешалку, тут же вскочил, чувствуя, как адреналин бродит по жилам.

Сейчас он и при желании не мог из себя выдавить хоть слово, не хватало кислороду, и тут же закралось сомнение.

Он — псих.

Мария Владимировна, наверное, сейчас в душе, или проверяет тетради, готовится к занятиям, или...

А он ворвался в ее квартиру.

Турка постоял, придерживаясь пятерней о стену. Потная ладонь впечаталась в рисунок обоев, Турка поглядел на него и тут же отвел взгляд — закружилась голова.

Он идиот. Училки, то есть Марии Владимировны... вообще нет дома.

Тогда это проникновение со взломом.

Сердце тут же поменяло тональность.

Но свет-то горит.

А после что-то упало в глубине квартиры, и раздался приглушенный стон. Турка оглянулся на выбитую дверь, которая теперь не захлопывалась. Прикрыл ее, подпер сапогом. Освободил зонтик от чехла и пошел по коридору.

— Эй, что здесь...

Тип в маске из «Крика» направил на него ствол. Турка поднял вверх руки.

Дверцы шкафа были открыты, из них вывалилось белье. Мария Владимировна сидела с комком из колготок во рту, поверх губ — полоска прозрачного скотча. Халатик был чуть распахнут, руки стянуты сзади махровым поясом от халата.

— Какого хрена здесь происходит?! — выкрикнул Турка.— Шуля? То есть... — Турка мучительно вспоминал, как на самом деле зовут Шулю.— Что вы здесь... Опусти ствол! Ты в колонию, что ли, за-хотел?!

Турка только сейчас увидел второго человека. В такой же дурацкой маске, с открытым ртом и изогнутыми в притворном сожалении пустыми глазницами. В руке — мобильник.

Турка предполагал увидеть здесь толпу побольше, и теперь испытывал скорее удивление, нежели страх.

Странные фигуры. Шуля-то повыше будет, и не такой массивный, значит, это... Тузов и Крыщ?

Сердце теперь работало ровно: тук-тук, тук-тук.

— Опусти ствол. Это уже не смешно, ты же на учете. Если щас менты приедут, тебя лет на двадцать закроют, идиот!

— Я не Шуля,— пробубнила маска, опуская ствол.

Голос показался Турке знакомым. По щекам Марии Владимировны потекла тушь пополам со слезами, чернота ползла по скотчу и собирались на подбородке. В затылке у Турки пульсировал комок гнева.

— ВЫ ПСИХИ, ЧТО ЛИ, ВООБЩЕ?! ШУЛЯ, ЧТО БЫ ОНА НИ СКАЗАЛА ПРО ТВОЮ МАМУ, ТАК ДЕЛАТЬ НЕЛЬЗЯ!

— Я не Шуля,— повторил «убийца-из-крика» и стянул маску. Второй так и стоял, понурив взгляд.

— Т-ты... вы сошли с ума, пацаны? — сипло пробормотал Турка. «Убийца» положил пистолет на ковер, как преступник при задержании, медленно. Второй тип тоже стянул маску, и показалось красное распухшее лицо с поросячьими щеками.

У Турки задрожали коленки, и он выронил зонт. Тот шлепнулся на ковер со стуком, и выбросил блестящую ножку, пытаясь раскрыться.

— Мы это,— промямлил первый убийца,— так, для розыгрыша. Ну видео записать. Мы не хотели ничего такого. А чо, ну это же самое... Артур, ты как вообще тут, а? И она же нам... Нас... Да это ж зажигалка, ты чего! Скажи ему, Алик!

Толстяк потряс щеками и спрятал мобильник в карман. Турка перевел взгляд на Марию Владимировну. Лицо у нее побагровело.

— Сними скотч,— сказал Турка. И видя, что Алик не торопится это сделать, рявкнул: — СКОТЧ, ЖИРДЯЙ!

— Артур, да мы ж это... мы ничего такого не хотели! Блин, ну простите нас, Мария Владимировна! — Проханов рухнул на колени, колыхая животом. Алик протянул дрожащую руку к полоске скотча, и тут же получил промеж ног тапочком-зайчиком.

Согнулся, зажимая руками джинсы между ног. Турка обошел Проханова, продолжавшего «молиться».

— Это я, Мария Владимировна,— Турка помахал ладонью перед затуманенными глазами.— Сейчас будет немножко больно, простите...

Скотч отлепился от щеки, учительница дернулась и выплюнула комок колготок. Лицо у нее было краснющее, мокрое. Она сорвала ленту и швырнула на пол.

— Это... У меня даже слов нет. ДА ПРЕКРАТИ ТЫ! — рявкнула она, и Проханов замер кверху задницей, уткнувшись лбом в ковер.— Цирк, это просто... ЭТО ПРОСТО ШИЗДЕЦ, ДАВЫДОВ!

— Мы не хотели,— пробормотал Алик, растирая промежность.— Извините, мы думали, ну... типа это самое...

— Дай сюда телефон,— оборвал Турка. Алик безропотно подчинился. «Nokia N73», сейчас такой тысяч двадцать стоит. Понятное дело, папа у Алика не из бедных. Турка вытащил карту памяти и кинул телефон толстяку. Тот не поймал, крышка отскочила, и аккумулятор весело скакнул под кресло.

Турка сломал флешку и швырнул в Алика. Плакали все его видосы и фотографии училки.

— Это... И что дальше? — Турка повернулся.— Мария Владимировна? Что они вам сделали? Что говорили? Они...

Она закрыла лицо ладонями, плечи судорожно тряслись, и Турка услышал смех — как у Коновой. Проханов распрямил спину и быстро облизнул губы, а Алик украдкой собрал телефон.

— КУДА? СТОЯТЬ!

— Так это... — шмыгнул носом Алик.— Она же сказала...

— Мария Владимировна, все нормально,— Турка сел рядом, и почувствовал себя скотом. Да, сейчас он жалел учительницу, ну а раньше? А если бы не знал ее, если бы не пил с ней чай? Разве не бродили у него в голове такие же скабрезные мысли?

«А что они, собственно, сделали?»

Мария Владимировна уткнулась лицом в плечо Турки, и пацан только сейчас почувствовал, как ему жарко. Она тут же подняла голову, заправила прядь волос за ушко и вытерла лицо. Турка с удивлением обнаружил, что учительница улыбается. Как-то слишком уж безумно.

Загремело что-то в прихожей, затопало.

В комнату ввалились три бугая в форме, один из них сразу показался Турке знакомым. Он видел его... где?

Все трое озирались, с ботинок на ковер сыпались куски грязи, текла вода.

— Двадцать первая квартира, да? Вызывали? Что у вас тут... — лысоватый мент, самый старый из троих, окинул взглядом ворох лифчиков и трусиков, трясущегося, как желе, Алика. Глянул на затравленное лицо Проханова.— Что здесь произошло, гражданочка?..

— Репетиция,— шмыгнула носом Мария Владимировна.— Готовимся к спектаклю. Вам на шестой этаж...

— Шестой? — мент потер лысину.— Так, бойцы... Стоп, какая еще репетиция? Мы идем, а ваша дверь приоткрыта, и ор стоит.

— Ну,— Мария Владимировна облизнула красные, распухшие губы,— школьная. Злодеи похитили и удерживают учительницу... у нас новое, современное. Кому нужны эти зайчики и белочки?

Турка хмурился, глядя на Марию Владимировну. Ни следа слез. Так... она не плачет?

— Мы сценку разыгрываем, к Новому году,— вставил Алик.— Мы ничего такого не делали. Все по сценарию.

— Новое-современное, говорите,— протянул лысоватый милиционер и поглядел на коллег. Оба мента прятали взгляд и прыскали.— Шо с вами такое со всеми? Бредятина какая-то... Или я такой старый? Ладно... Это, так вы к ним претензий не имеете? А то это самое, как-то больно натурально... Вы не актриса, случаем?

— Нет. Педагог.

Турка посмотрел на краснющего Алика, на Проханова, который так и стоял на коленях и, не мигая, глядел перед собой. Турка вспомнил, где видел мента: в участке! Когда ходил по этим делам, с «изнасилованием». Свирепый краснорожий тип, который все время заглядывал в кабинет, где его допрашивали. От греха подальше Турка решил не глазеть на него, но монстр этот, кажется, тоже узнал пацана.

— Мария Владимировна, вы не подумайте ничего... мы так просто, мы бы удалили видео! — чуть ли не плакал Алик.— Это шутка просто!

— Он шо, никак из роли не выйдет? — бормотнул толстяк с оспинами.— Николай Иваныч, у него лоб в крови!

— Ладно, понятно. Репетируете,— сказал лысоватый Николай Иваныч.— Все ясно. Ну, тогда, раз претензий нет, и... Нам тогда на шестой, бойцы! Там вора задержали, или грабителя, хрен поймешь. Шустрее, парни!

У Турки отлегло от сердца, и тут заговорил его старый знакомый:

— Николай Иванович... Вот этот — он у нас по делу проходил, по ТОМУ САМОМУ. Я его хорошо запомнил. Мож, проверим его? Вдруг он сообщник там?..

— Д-да? — милиционер потер лысину.— По делу Лашуковой, ты имеешь в виду?

— Он ни при чем! — воскликнула Мария Владимировна.— Репетиция у нас, а он...

— Ага, так кто-то все-таки «при чем»? — прищурился Николай Иваныч.— Ладно, баба с возу, как говорится... Ох, вы простите, это я так — образно. Но ты, парень, покудова сиди тут, сейчас милиция разберется...

* * *

— Где ты?! Потому что я тебе уже говорил — ЗАКАНЧИВАЙ! Сколько можно, ты же обещал взяться за ум?!

— Папа,— Турка поморщился и отодвинул трубку ото рта.— Да я тут... В общем...

— Нет, мама... Отойди, подожди! — голос отца отдалился, затем зазвучал еще громче: — Я найду на тебя управу, найду! Ты же ведешь себя, как подлец. Ты что, не понимаешь, что мать болеет? У тебя мозги вообще есть? Учеба, драки, башку тебе чуть не пробивают, приводы в участки бесконечные! Пойди ляг, зая, все хорошо с Артуром. Лучше не бывает. Да, да, честно. Сынок... Я даже не хочу знать, что у тебя там...

— Папа! Да послушай ты, я вообще здесь по случайности! Я ничего не сделал, просто... как бы объяснить...

— Да-да, выдумывай на ходу — это ты делать мастер! Чего ж не подготовил легенду, не успел, сказочник? Что ты говоришь, зая? — голос отца отдалился.— Все-таки вызову, мне совсем не нравится твой вид...

Послышался треск и грохот, будто мобильник швырнули об пол. Опять отдаленные голоса, а затем — гудки, гудки.

Турка отнял трубку от уха и растерянно посмотрел на ухмыляющегося краснорожего бугая. В затылке опять пульсировал тот-самый-комочек бессильной ярости.

— Шо, влетит от папки, да? — с притворным сочувствием сказал мент.

* * *

На смену поздней осени медленно и незаметно ползла суровая зима. Дни стали совсем короткие, солнце, будто навеки, скрылось за низким свинцовым заслоном туч. Встаешь утром — темно. В школу сходил, что-то там поделал, вот тебе уже и ночь.

В школе все кабинеты уже украсили вырезанными из цветной бумаги гирляндами, шариками, серебристым «дождиком» и, конечно, снежинками. Их приклеили на окна мылом. Ну и куда же без всевозможных елочек, сделанных на китайских фабриках из токсичной пластмассы.

И, если честно, атмосферу праздника они, скорее, портили.

Они вдвоем с отцом закупали продукты, спиртное. Турка не понимал, зачем все это нужно, а без мамы и украшать дом не хотелось. Все это лишь мишура, и вокруг — мерзлая грязь, припорошенная снегом. Каким он будет, этот Новый год?

Мама в интенсивке, должны перевести скоро в обычную палату...

Папа вел себя нарочито бодро, даже гирлянды прицепил, но мелькание огоньков напоминало огни скорой помощи. Синий-красный, синий-красный.

Турка тренировался даже в такой холод, чтоб избавиться от тягучих, черных мыслей. Мама, мама... Турка не мог вспомнить, когда в последний раз по-настоящему разговаривал с мамой, когда обнимал ее... И ведь всегда сторонился всяких там поцелуйчиков, а теперь — такое.

Не выдержало сердце, и это он виноват, только он. Надо было сидеть дома, «быть паинькой», не ввязываться ни во что. С другой стороны, кто знает, чем бы закончились в итоге забавы Алика и Проханова. Хотя милиционеры ведь приехали «вовремя». Сплошная цепочка странных случайностей, которая выглядела бы нелепо даже в «мыльном» сериале.

Маму увозили, а сам Турка даже и рядом не был, потому что сидел в обезьяннике, и потом десять раз рассказывал одно и то же, одно и то же, слушал бессвязный бред Проханова и причитания Алика. Турку взяли из чистой вредности, а скорее всего, потому, что вор — или кто там был на шестом этаже — успел скрыться. Краснорожий мент стал говорить, что мол, может это «его дружки, та же кодла». Свободного места в «бобике» было мало, там уже дрыхла парочка алкашей. Мария Владимировна подтвердила, что никакого криминала в общем-то и не было, просто репетиция зашла чересчур далеко, и, как могла, выгораживала Турку, но он, раздосадованный и смущенный, сам дал себя увести и залез в машину. Лишь бы побыстрее все кончилось.

Турку из «обезьянника» вытащил отец Алика. Но было уже поздно.

И вот теперь Турка бегал на «Труду» до изнеможения. Двадцать кругов, двадцать пять, тридцать. Щеки горели от мороза, раскочегаренные легкие втягивали холодный воздух, постоянно приходилось сморкаться и прочищать горло, а еще ветер, бывало, пробирал до самых костей.

Турка делал ускорения, мечтая, чтоб и у него тоже случился инфаркт. Он бы упал тогда на мерзлые резиновые дорожки, раскинул бы руки и умирал, глядя в хмурое небо.

Снег с тех пор так и не выпадал.

Вовку совсем окрутила Хазова. Он дарил ей подарки, водил в кино. Тузовы, однако, своих нападок не прекращали. Рамису Вовка в пылу драки сломал руку, и спустя пару дней после побоища дагестанец пришел с гипсом на бинтовой перевязи.

— Ты денег ему должен,— заявил Тузов.

— Пошел ты вместе с ним! — ответил Вова.

Короткий удар, снова кровь, и снова визжит Хазова.

Шуля получил условный срок. В школу он ходил, почти не прогуливая. В основном, он теперь спал на уроках.

В любом случае его не оставят на второй год, просто потому, что никого никогда и не оставляли. Такова политика Сергея Львовича.

В школу пришли оба родителя Вола, из-за «динамита». Папа оказался каким-то долговязым типом с бородкой и длинным хвостом волос. На вид ему было лет тридцать максимум, меньше, чем матери.

Он прятал взгляд и передвигался по коридорам как будто с опаской.

— Наверно, отчим. Какой-то урод,— прошептал на ухо Вовка. Ему в затылок врезалась слюнявая бумажка, и с последних парт послышались сдавленное хихиканье.

Алик какое-то время в школу не ходил, а потом пожаловал на пару с Прохановым. Оба тихие и бесцветные, как плохие ксерокопии.

Анка пыталась агитировать, мол, помогите товарищу, скиньтесь — но это больше для проформы. Так что ремонт семья Волов оплачивала из собственного кармана.

Как-то раз Турка зашел к Коновой, и дверь открыл Коля. Голое волосатое пузо, вытянутые на коленях треники. «Совсем как тот сосед, которого я скинул с лестницы»,— подумал Турка и даже оторопел немного.

По ушам била музыка: «Льются песни, льются вина...»

— Добрый день. А Лену можно?

— Ее нетуть,— икнул мужик.

— А когда будет? Давно ушла?

— Фиг его. Не помню,— он поскреб затылок грязными ногтями.— Свалила еще, кажись, в среду. Или може, в понедельник...

— Четыре дня, что ли, дома не была? Да ну!

— Сещас аще к-кой день недели? — Коля рыгнул. Несмотря на то, что на лестничной клетке гулял холод (кто-то успел разбить окно), в горле у Турки появился тошнотворный привкус.

— Ну пятница. Так ее точно нет уже несколько дней?

— Парень, слышь,— мужик наморщил лоб.— Ты чего пристебался? У нас тут пóминки, горе. А ты со своей Ленкой. Ушла, гуляет где-нибудь, чай, уже не маленькая. К хахалям отправилась, значит. Я что, следить за ней обязан?

— Коля,— раздался женский голос из глубины квартиры,— ты с кем это там? Скажи Степанычу, что мы не шумим, и пусть идет в жопу!

— Ладно, Халь!..— проорал Коля.— Короче, нету ее. Выпить хочешь?

— Нет, спасибо.

Дверь захлопнулась. Турка спустился на один пролет. Потрогал пальцем дыру, обрамленную зигзагообразными осколками стекла, и подавил желание рубануть кулаком чуть повыше этой дыры.

Где-то сейчас Лена? А куда девается все то, что ты любил когда-то? Уходит в прошлое? Куда и когда уходит детство?

При одной только мысли, что Лена, возможно, валяется на вонючей кровати в какой-нибудь занюханной квартирке, внутри Турки заворочалась ревность. Коновой по фиг, она и не любила его никогда, иначе уже давно бы дала о себе знать.

Едкая горечь встала в глотке, и Турка никак не мог справиться с комком.

Что, если Ленку изнасиловали или убили? А может, держат в притоне, да еще и обкалывают наркотиками?

Что, если она поехала автостопом по стране, как тогда говорила? И теперь никогда больше не вернется в школу, и никогда они больше с Туркой не увидятся?..

Турка представил лицо Ленки, печальные глаза, глядящие сквозь запотевшее, с капельками дождя стекло.

Хлопнула дверь наверху, кто-то выругался. Раздалась пронзительная трель звонка.

— А, кто? Чего? Степаныч, да мы тихо!

— Уроды! Заглохнете вы когда-нибудь?! Сколько можно топать?! Может человек отдохнуть после работы, я вас спрашиваю? И Сердючку свою вырубайте, скоты!

Турка стер тыльной стороной кисти слезу и оглянулся: никто не видит? Потом медленно спустился по ступенькам и вышел на холод.

* * *

Турка брел домой, и в ушах стоял бархатистый, грудной смех Коновой. Он даже не заметил бы учительницу. Сама окликнула, как тогда, будто сто лет назад уже.

Выглядела Мария Владимировна ничего так — пальтишко выгодно подчеркивало стройную талию, распущенными волосами поигрывал ветер. Походка упругая, каблучки цокают. Турка замер посреди проспекта, а зеленый человечек светофора уже принялся мигать. Турка рванул через дорогу под недовольные гудки клаксонов.

— Вот я идиотка! Чуть под машину не попал из-за меня!

— Да при чем тут вы,— заулыбался Турка.— Как у вас... дела?

Она окинула Турку слегка удивленным взглядом, и он чуть смутился.

Он до сих пор не знал, что за чутье погнало его тогда в квартиру училки. Такое случается только в книгах, а жизнь на них совсем непохожа.

Они дошли до арки, свернули. Прошли мимо будочки мастерской: «Починка одежды и обуви. Быстро и недорого».

— Так что вы теперь? — повторил Турка.

— Увольняюсь и уезжаю. Списалась со знакомым одним, он здесь проездом — сам из Питера. Он встретиться предложил, а мы раньше общались. Ну я вся такая на нервах, выговориться надо было. Согласилась. Мы с ним лет пять не виделись. Занимается машинами, что-то там продает, не вникала. Такой какой-то сказочный, как герой из книжки. Знаешь, бывают в романах такие персонажи, которые не работают, и не едят, и в туалет не ходят. И не стареют, что самое главное. Можно через десять лет книгу перечитать, и там ничего не изменится, и ты все равно веришь, что ее герой — настоящий. Так и он.

— Ничего не понял,— сказал Турка.— Но я рад. Нечего вам у нас делать. Да вообще, ну — в школе. Какая из вас училка...

— Точно! — Мария Владимировна засмеялась, будто колокольчик зазвенел.

— Я так и не понял толком про Алика и Проханова. Что за репетиция-то? Они вас что...

— Ой, давно забыть пора. Извини, что так вышло... хотя извинения эти, что они теперь тебе?.. Сценку мы готовили, типа грабители, связали, все дела, и решили все это на камеру снять. Я по себе сужу, ты не думай. Может, повод дала. А с пацанов что взять — спермотоксикоз. Но иногда я думаю, что точно так же... Точно так же ко мне на огонек могли зайти Тузов или Шуля. Ведь Алина та еще курица. Ревность, кстати, фиговое чувство, никогда никого не ревнуй,— Мария Владимировна вымученно улыбнулась.— Я вот все забываю спросить, как это ты вдруг пришел, ни с того ни с сего?

— Сам не знаю,— Турка пожал плечами.— Предчувствие какое-то было, и я решил к вам заглянуть. Точнее, рассказать кое-что хотел, ну, про Алину как раз.

— Хм. Удивительно как-то,— она покачала головой и тут же добавила, грустно улыбаясь: — Про Алину мне Хазова сказала, уже давно. Так что я начеку была, баллончиками перцовыми запаслась.

— Короче, теперь у вас белая полоса.

— Ага. Хотелось бы с тобой подольше пообщаться, но, извини, совсем нет времени. С Андрюшей кое-куда собрались, нужно марафет навести небольшой. Мы с тобой еще попьем чаю до Нового года, посидим обязательно.

— Понятное дело. Вот пакет ваш. До свидания!

— Пока, Артур. Я никогда не забуду. Ты — настоящий,— она наклонилась, и ее дыхание коснулось Туркиной щеки, а еще он почувствовал аромат духов — шоколад, какао и еще что-то, от чего захватило дыхание, а кровь быстрее побежала по венам. Вот он, поцелуй.

— С наступающим тебя, мой герой,— подмигнула Мария Владимировна.— И... смотри вперед. Пока молодой, не думай о прошлом. У тебя будет для этого достаточно времени в старости.

Запищал магнитный замок двери, учительница тряхнула волосами и исчезла в темноте. Турка постоял немного и побрел домой.

Уже сейчас он знал, что чай они вместе пить не будут. Никогда.

Да и какой он там «настоящий»?

ГЛАВА 15

СТРЕЛЬБИЩЕ

Наступил долгожданный день. По рассказам Чапая, стрелять пацаны должны были в поле.

Морозную ночь сменило ледяное утро. Василий Иванович приказал одеваться теплее и не опаздывать, уже в девять специально заказанная маршрутка должна была отъехать от школы. Девчонки ехали по желанию, соответственно, никто этого желания не изъявил, даже Ковалева. Да и сам Турка хотел бы лучше остаться дома, в субботу-то, но и пострелять тоже хотелось. Норматив по сборке-разборке он с грехом пополам сдал, да и развеяться надо. Дома тоска.

Чапай битых два урока рассказывал про патроны и меры безопасности (вместо географии поставили дополнительный урок ОБЖ). Что-то там писали в тетрадках. Почти все пацаны пришли, кроме Шули, и еще кого-то не хватало, наверное, Шарловского.

Банда, Китарь, Вол, близнецы Водовозовы, Березин, Молчунов, Вовка, Петя Русаков и Асламов Рустам, Кася — в общем, все в сборе.

Забились в автобус, толкая и отпихивая друг друга. Кто-то взял с собой склянки и котелки со жратвой, булки с пирожками. Вол прихватил свой вечный рюкзак.

— Чо в портфеле? Опять динамит принес? — спросил Турка.

— Да, динамит,— буркнул в ответ Вол.

Водила докурил и выкатил автобус на дорогу. Чапай уселся на переднее кресло и стал развлекать водителя байками.

Зашелестели пакетики, захрустели обертки.

Шпили высоких зданий подпирали низкое небо словно колоны. Сновали, куда-то спешили бабки с сумками, мужики прятали головы в плечи и пыхтели сигаретами, сопливые дети цеплялись за матерей, а вороны, нахохлившись, каркали на проводах.

Все было серое и тусклое.

— Как думаете, нам и впрямь боевыми дадут пострелять? — спросил Алик с заднего сиденья.— Или начесал Чапай?

— Дадут,— сказал Вова. Хмурый какой-то он сегодня, бледный. С Хазовой поссорился, что ли?

— А где Муравей? — вертел головой Турка.— Пришел он?

— Не видел. Кстати, слыхал про Бэтмана? Его ж поезд сбил.

— Как... поезд? — заморгал Турка.— Где, когда?

— На прошлой неделе. В ботанику он кататься поехал, на велике. Перетаскивал драндулет свой через пути, и ногу зажало в стрелке.

Турка замолк, переваривая услышанное. Как же это так? Бэтмана... поезд? И он до сих пор катался на велосипеде, в такую погоду? На прошлой неделе было теплее, солнышко даже проступало, но все равно.

Сразу в груди заскребло что-то, и Турка вспомнил это рукопожатие, и как внутри возник комок презрения пополам с жалостью. Теперь бедняга лежит под слоем земли, в темноте гроба, и его медленно, но верно пожирают черви.

Сначала тетя Коновой, а теперь вот Бэтман. И никто не знает, как его зовут, да и всем плевать, по большому счету, что он умер. Турка подумал, что если бы умер ОН, то о нем бы забыли еще быстрее, чем о Бэтмане. Еще представил, каково это: поезд летит, стуча колесами, гудит так, что закладывает уши, а нога зажата «стрелкой», и ты не можешь уйти с путей.

Турка сглотнул слюну.

— Ты это, Вов... Мы с тобой так и не поговорили. Злишься все еще на меня?

— Нет. Что толку злиться? Только нервы портить себе,— сказал Вова, не поворачивая головы. Что-то его там так интересовало, за окном.

— Полгода осталось. И все закончится, навсегда.

Вова дохнул на стекло и начертил две продольные линии.

— Ничего не закончится. Это только начало. И я теперь это никогда не забуду, буду тащить за собой всю жизнь, тележку эту со шлаком.

— Ла-адно тебе... — Турка хотел еще извиниться, но смутился. Вроде бы слово всего лишь, а как трудно сказать! Так же трудно, как признаться в любви.

Почему он так редко говорил Лене, что любит ее? Почему?

Турка прикрыл глаза и поддался тряске и укачиванию. Он ничего не сделал для друга, потому что... потому что он такой же, как все. Потому что ему, надо признаться — пофиг было. Не нужно сейчас отмазываться Ленкой и прочим, не оправдание это. Он не герой из книжки, он — не настоящий человек. Так... перхоть. Как и многие.

Лена пропала, и может, это наказание? Наказание за бездействие.

За окном выросли огромные белые холмы. Турка вытянул руку, пальцы прошли сквозь стекло, а холмы превратились в девичьи груди. Принадлежали они не Коновой, а Марии Владимировне. Большие, настоящие, сахарные прямо — такие, какие и должны быть.

А потом учительница вдруг превратилась в уборщицу, бабу Клаву. Турка вздрогнул, отмахиваясь от карги, и проснулся.

Вовка с удивлением глядел на него.

— Ну чо вы делаете! Нафига?! — кричал кто-то.

— Ты чего? Уснул?

— Кошмар приснился. Что случилось?

— Вол закинул жвачку в волосы Саньку.

Турка встал и поглядел в конец салона. Там вовсю шла потасовка, Молчунов бил Вола в лицо. Потом схватил его за воротник, тряхнул и толкнул прямо в окно. Вол ударился затылком, взревел и бросился на Сашу. Пацаны удержали его, а Молчунов ткнул ногой в живот. Наверное, зацепил пах, или же Волу так показалось, потому что он удвоил усилия, высвободился из удерживающих его рук и залепил Молчунову по щеке, вскользь. Хреновый удар, ближе к пощечине. Молчунов харкнул, плевок попал Волу в лицо. Тот быстро стер слюну, зарычал, и его опять скрутили пары чужих рук...

— Идиот,— вздохнул Турка. А Вова снова погрузился в раздумья, глядя перед собой.

— Он пиво принес. Воняет, чувствуешь?

— В портфеле своем?

— Ага. Как бы Чапай не унюхал.

Пустырь, деревья, поле. Дальше овраги. Стрельбище прямо на окраине города.

Пацаны вывалились из автобуса со смешками и матерщиной, встали в шеренгу. Василий Иванович оглядел нестройный ряд, втянул морозный воздух раздутыми ноздрями с красноватыми прожилками.

— Пил, что ли, кто? Пивом тянет. Вы у меня смотрите, того! Малые же еще, очумели? Кто пивас притащил, сознавайтесь! Щас же назад поедем.

— Никто не пил,— отозвался Мнушкин.

— Понятно. Я прохожу вдоль ряда, каждый дышит. Полевой алкотестер, етиху мать.

Путем такой нехитрой проверки Чапай выявил главных алкоголиков.

— Ну и чего вы? Хоть бы жвачкой заели. Вол, Рамис, Китарь — стрелять не будете. Лично прослежу, чтоб оружие к вам не попало. Это надо же, чего удумали! Ну, я с вами еще разберусь, вы у меня во втором полугодии попляшете, скоты!

— Да чо мы там вы-ыпили,— протянул Китарь.— Так, по мелочи, вообще ни в одном глазу...

Все засмеялись.

— Ты мне еще поговори, болван. Итак, стройным шагом идем по асфальтовой дорожке. Не бегаем, не прыгаем, не толкаемся. Ведем себя как порядочные взрослые парни. Нале-о! Шао-ом марш!

Чапай махнул рукой. Шеренга развернулась (Русаков сначала дернулся вправо) и потопала к зданию.

Зашли в грязноватый вестибюль, обэжэшник тут же где-то скрылся. Повис шум, постепенно он нарастал, будто кто-то невидимый крутил регулятор громкости.

Врубили «ультразвук». Мимо шмыгнула бабка-уборщица в бледно-голубом платке на голове, со шваброй и ведром наперевес.

— Так, это Михаил Викторович,— представил Чапай бесцветного, невыразительного мужичка.— Инструктор, и по совместительству — мой хороший товарищ.

— Здра-асте! — хором проорали пацаны.

— Здорово, хлопцы. Во ватагу привел, Иваныч! Айда за мной, банда! Только вырубите эту хрень, чо это за писк-то?

Выслушали инструкции. Рассмотрели старинные советские плакаты на стенах, на пожелтевшей бумаге: первая помощь пострадавшим, как правильно надевать противогаз. Висел стенд с «калашниковым» в разрезе, каждая деталь пронумерована и подписана. «ПЕРВАЯ ПОМОЩЬ» — один тип делает другому дыхание «рот в рот». Пострадавшему кто-то пририсовал пенис.

Матюки, каракули, послания...

Стены обшарпанные, с облупленной краской, паркетины в полу шатались. Пахло пылью и плесенью, а еще смазочным маслом и порохом. Русаков звонко чихал от такого коктейля, и ему исподтишка отпускали подзатыльники все, кому не лень.

Спустя полчаса Михаил Викторович повел класс по темному коридору. Лампочки тут то ли разбили, то ли выкрутили в целях экономии. Турка представил, что это тоннель метро, и на затылке мурашки затанцевали. Как будто сейчас появится впереди тусклый огонек и будет увеличиваться, увеличиваться, а потом задрожит под ногами пол...

Пацаны перешептывались, хихикали, толкали друг друга. Алик травил байки, и Турка слушал его вполуха.

Вышли в поле. Серое, с черными прогалинами, вроде стариковской плеши, и безжизненные отростки торчат. С неба срывалась крупа, и землю кое-где присыпало. Как на кладбище. Стоишь, за спинами у тебя могилы, а вдаль простирается пустынная, заранее обреченная территория.

— Мишени укрепляем! — скомандовал Чапай.— Давайте, живо! Устанавливайте картонки на рубеже, и с мешками аккуратнее, поясницу не надорвите.

Автомат тускло поблескивал на брезентовом полотнище, рядом — коробка с патронами. Приклад коричневый, и почему-то кажется, что теплый. На шее у Михаила Викторовича висел бинокль, а Чапай листал пальцами мерзлые страницы журнала и хмурился.

Мишени установили. Михаил Викторович удовлетворительно кивнул.

Закаркал ворон.

— Березин! Вдовин готовится. Стреляешь одиночными. Только целься, я тебя умоляю! И приклад посильнее в плечо вжимай. По пять патронов у вас, ребят.

Березин шмыгнул носом, шагнул к брезенту. Приноровился к оружию, весь подобрался.

Грохотнул выстрел. За ним второй, третий...

— Два в молоко. Третий чирканул по предплечью. На, посмотри,— инструктор протянул бинокль Василию Ивановичу.

— Нормально, сойдет,— крякнул Чапай.— Ну-ка, парни, что вы вообще, как мертвые? Замерзли? Когда еще такое будет у вас! А раньше, в наше время, да Викторыч?

— Ясен пень! Скажешь тоже!

— Вдовин, ты чего там?

— Нет, я, наверное, откажусь от стрельбы. Не уверен в своих, м-м, силах.

— А, лох! — заорал Мнушкин и дал Вдовину подзатыльника. Опять многие захохотали, заорали: — Телка, телка! Дениска — петушок!

Вдовин — как подсыхающий плевок на асфальте. В него «наступали» изредка, поколачивали там или прикалывались, потому что он обычно мог решить все варианты любых контрольных. Незаметный всегда, как тень.

— Тихо! Сами как курицы раскудахтались! Не хочет и не хочет. Он правильно сделал, признался, что не готов. Это лучше, чем прострелить кому-нибудь башку или сломать себе ключицу. Викторыч, помнишь этого, как там его...

Близнецы отстрелялись нормально. Дошла очередь до Турки. Пальцы вспотели и подмерзли в перчатках. Ствол как кусок грязного льда, а приклад медового цвета, гладкий, отполирован множеством ладоней. Поле, брезент, гильзы, мишени — все вокруг выцветшее, а приклад яркий и живой.

Что-то там говорил Чапай, Турка его не слышал. Он выпустил положенные пять патронов, при каждом выстреле сильно дергаясь из-за отдачи (вечером на передней дельте расплывется синяк, и пару недель Турка будет испытывать дискомфорт на брусьях). Уши заложило, в черепе, как в жестянке, метался мышиный писк. Турка положил автомат на брезент и вытянул руки по швам:

— Давыдов стрельбу закончил!

Его похлопали по плечу. Собственного голоса Турка не слышал. Лишь по физиономиям товарищей понял, что закрыл мишени неплохо. Далеко, конечно, до Водовозовых — снайперы чертовы. Жалко, что Ленка не видела.

Турка присоединился к небольшой кучке тех, кто обсуждал стрельбу. Березин оживленно размахивал руками, Вдовин кивал и делил воздух ребрами ладоней на равные части, что-то растолковывая, раскладывая по полочкам. Наконец слух вернулся, но у самой барабанной перепонки до сих пор щелкало.

Так потихоньку увеличивалось число отстрелявшихся. Вол упрашивал Василия Ивановича разрешить ему все-таки занять огневой рубеж, но Чапай был непреклонен.

— Пиво пил? Пил. Отставить, боец!

Уфимцев выстрелил аж семь раз, но Чапай его не останавливал. Он и стрелять его позвал почему-то не по алфавиту. После того как Антон отчитался о законченной стрельбе, обжэшник отпустил ему отцовского леща. А Уфимцев лишь довольно ухмылялся. Рамис на «калаш» не претендовал, с гипсом не особенно постреляешь. Они с Тузовым, Крыщем и остальными стояли обособленно, изредка взрываясь противным смехом.

Вот наступил черед Вовки.

— Тут три патрона осталось. Можно мне новую обойму?

— Предыдущий же парень стрельнул лишку. Патроны лимитированы,— флегматично ответил Михаил Викторович, протирая линзы бинокля.

— Так нечестно,— возмутился Турка.— Дайте ему патронов!

— Плетнев, оружие наизготовку!

— Ладно. Не надо. Мне и трех хватит.— Вова занял огневой рубеж, прицелился. Налетел сильный порыв, ветер пролез под куртку, и по спине Турки побежали мурашки.

Вова медленно опустил автомат. И так же медленно развернулся.

— Ты чего, Плетнев? — сказал Чапай.

— Отойдите.

— Ты куда целишься, сынок?! Вова, ты с дуба рухнул? — голос у Василия Ивановича зазвучал механически.— Опусти автомат!

— Вы, ублюдки! Танцуйте,— он мотнул стволом в сторону Тузова. Разговоры мигом стихли. Над полем повисла тишина, прерываемая лишь воем ветра.— Слышите, ау?

— Хрен там! Выстрелит он! — выкрикнул Рамис.— У тебя очко играет. Вон как губки трясутся, как у...

«Откуда гром в такую погоду?»,— подумал Турка. Сухой, резкий, и затихает в ушах, как эхо в колодце.

Рамис повалился на мерзлую землю. Василий Иванович выронил журнальчик. Ветер радостно зашелестел страничками, подхватил какие-то листки, и те завертелись в танце, образуя подобие смерча. У инструктора дрожали руки, а Турка глядел на своего друга.

Медленно сделал вдох. Выдох. Сердце работало с перебоями, время застыло. У всех пацанов лица были одинаковые, как у манекенов.

— Я СКАЗАЛ, ТАНЦУЙТЕ, ТВАРИ!

Кася и Крыщ начали топтаться на месте, виляя бедрами и нелепо двигая руками.

— ТЕБЕ ОСОБОЕ ПРИГЛАШЕНИЕ НАДО?! ДВИГАЙ ЖОПОЙ, КУСОК ГОВНА!

— Пожалуйста, не надо больше стрелять, успокойся, Вова... — бормотал Чапай. Куда-то ушел весь его бравый героизм бывалого вояки.

Тузов тоже задвигался, и Китарь. Вова стрельнул еще раз, и пуля ушла в землю прямо около их ног. У Тузова побелело лицо и едва заметно задрожали ладони.

Чапай ныл и уговаривал Вовку, дрожа теперь всем телом, а инструктор стал весь землистого цвета. Вова шагнул чуть ближе. Теперь слева от него стояла многочисленная группа отстрелявшихся, в том числе и Турка. Все с раскрытыми ртами, и никто не мигает. Инструктор все натирал бинокль, а ветер ерошил его волосы.

Слева от Вовы продолжали топтаться пацаны. Рамис стонал, зажимая рану. И без того грязный бинт на гипсе окрасился бордовым.

— Нету жизни, уроды! С душой танцуйте,— проговорил Вова.— Что же ты? Уже не такой ты храбрый, а, тормоз?

— Я тебя потом убью,— прошипел сквозь зубы Тузов.

— Потом — это когда? — ухмыльнулся Вова.— Сразу после танца? Или после того как я тебя обоссу?

— Думаешь, сойдет это тебе так? У тебя не хватит духу меня убить.— Тузов говорил размеренным тоном, но почти не разжимал зубов. И веко у него подрагивало.— Ты — слабак, поэтому тебя и чмырят все. Так говном и останешься.

— Слушай, инвалид,— мотнул головой Вова. Глаза у него сузились.— Словесный понос, что ли? А ну-ка, верти задницей. А еще лучше — подбери ком земли и сожри. Давай быстро.

— Нет.

— Хватит, Вова... — пропыхтел Чапай.— П-полож-жи а-автомат.

— Не хватит! Эта мразь изводила меня два года! А обезьяна — еще больше. Так какого хрена я должен опускать ствол?! Да пошли вы все, козлы!

— Ты же не хочешь в тюрьму, Вова,— прохрипел Чапай.

— Ты не выстрелишь,— у Тузова дрожали губы.— Если трусу дать в руки оружие... Сосунок...

Когда рассеялся пороховой дым, Турка увидел искаженное гримасой лицо Тузова. Он кривлялся и орал, а на джинсах у него растекался целый архипелаг клякс и потеков, а из раны в паху хлестала кровь. Вова бросил автомат на брезент, а сам опустился рядом на землю. К нему сразу бросился Чапай, а инструктор выудил мобильник и тыкал в кнопки, как робот.

Вова сел на землю и завыл, перекрывая ветер.

— Алло? Скорая?

— Быстро, хватайте его!

— Носилки есть? На носилках надо бы!

— А-а-а-а-о-оуууууыыыыоооуууааааааа!

Турка подумал, что неплохо было бы проснуться. Но нет, не получалось.

ЭПИЛОГ

Рамиса положили в психушку, у него шарики за ролики заехали. Ни с кем не разговаривает, вообще не реагирует. Пуля разорвала куртку и только лишь скользнула по коже, так что в физическом смысле он легко отделался. Отец Рамиса, торгаш, клялся, что это так не оставит, и что подожжет Вовкин дом — всякую чушь гнал. Что будет дальше с Вовой — неизвестно, одно точно: на подкурсы зимой он не пойдет. Его отец, в свою очередь, приложил все силы, задействовал свои связи, но нанесение «тяжких телесных повреждений» — не шутки. В тюрьму Вову точно не посадят, но когда теперь закончится вся эта катавасия, никому не известно.

Тузов теперь кастрат.

На уроках только о стрельбище и говорили, учителя забыли про ГИА, про выпускные классы. На переменах беспрерывно обсуждали случившееся. На Турку сыпались вопросы, он даже раз подрался из-за этого.

Турка искренне обрадовался каникулам. Все рожи вокруг опротивели, все надоело.

Права Ленка. Вокруг одна слякоть.

Школа № 75 засветилась в новостях. По «Первому» каналу показали, по «НТВ», рассказывали и про другие случаи подростковой стрельбы. Смешали все в кучу. И кому какое дело, что произошло это на полигоне, а не в школе?

Несколько дней Турка ходил как в тумане. Он снова и снова прокручивал ситуацию, думал и думал о Вовке, и эти мысли почти вытеснили из сознания Лену.

Теперь Вова никуда не поступит, и от армии косить тоже не надо, поскольку с судимостями не берут, «палка» Хазовой тоже откладывается на неопределенный срок (а ведь сколько он об этом говорил!). Новый год несчастный Вова и его родители не встретят по-человечески. И больше он не переступит порога родной школы.

Несколькими «легкими и плавными» движениями указательного пальца Вовка лишил себя будущего.

В последний день учебы все обсуждали, где, с кем и как будут отмечать Новый год, сколько литров спиртного уже закупили, сколько пригласили телок. Турка только плечами пожимал.

— Хочешь — с нами давай,— предложил Молчунов.— Только бутылку захвати, закуси там. Мы на квартире у Карины будем, есть там одна давалка. Короче, она с подругами и несколько пацанов. Двойничок, ты его знаешь. И еще Сява, мелкий тот, помнишь, на футболе был? Еще кто-нибудь подтянется...

— Может, и приду. Я позвоню, если надумаю.

Хазова плакала. Конечно, все забыли о бойкоте. Она рассказывала, какой он хороший, ее Вовочка, и что она не сможет без него жить. Клялась, что будет ждать его из тюрьмы, если дойдет дело. Короче, Хазова стала местной звездой, затмив на время всех. У нее спрашивали, не замечала ли она отклонений в поведении своего возлюбленного, и Рита клялась, что Вовка вел себя как обычно.

Алик и Проханов сидели ниже травы, тише воды. Разговаривали они с Марией Владимировной после РЕПЕТИЦИИ или нет, неизвестно, но с Туркой учительница даже не попрощалась. Мария Владимировна уволилась. Теперь историю и обществознание будет вести другой преподаватель — уже ищут замену. Училка исчезла, будто и не было ее, и никто в свете произошедших событий даже не особо заметил этого поспешного увольнения, а если и заметил, так что с того? Одна ушла — придет другая.

Василия Ивановича — Чапая — тоже будут судить.

* * *

За елкой Турка и его отец пошли на ближайший базар, Авас обещал отдать со скидкой. Пожаловали холода, и столбик термометра опустился до минус семи градусов.

— Снег обещали,— шмыгнул носом отец.— Хоть бы пошел. Не люблю, когда голый Новый год. Ты вообще как? Мать говорит, что тебе к психологу надо. Волнуется. Нормально все?

— Нет,— ответил Турка. Он думал и о маме тоже, что впервые в жизни они будут встречать Новый год без нее. Не отпускают врачи, хоть ты тресни. Еще пару месяцев назад он счел бы за позор встречать праздник в веселой компании родителей и их друзей.

А сейчас...

О покупке компа Турка теперь и не заикался: с деньгами сейчас швах. Врачам платить, медсестрам тоже, плюс лекарства. Турка вообще с горьким смехом вспоминал, что когда-то пределом его мечтаний был компьютер.

Навстречу шли люди с сумками и пакетами со всякой снедью, раскрасневшиеся, окутанные клубами пара.

— Почем щас елки-то? — сказал отец.

— Без понятия.

— В прошлом году мы ставили или нет?

— Не помню. Ставили, вроде. Елку или сосну брать будем? — Турка пнул осколок ледышки.

— Да что понравится. Спросил тоже — я тебе знаток, что ли? — засмеялся отец.

Сосны все были чахлые, с редкой тускловатой хвоей, как потасканные девчонки. Отец махнул рукой и отдал две тысячи, «гулять так гулять». Турка нес деревце, и сквозь перчатки ладонь покалывали иголки — выбрали пахучую, славную елочку.

Хотя зачем она, если мама болеет? Какой праздник-то теперь?

— Пап, я это... Встречу с тобой, а потом, наверно, к пацанам пойду.

Прошли мимо «наливайки», там сидели завсегдатаи. Слышался гогот, звяканье стаканов.

— А, ну понятно. Опять за старое. Ну, иди, чего *теперь уже*. Пойду, мандарин возьму.— Турка встал рядом с картонными коробками, отец полез за кошельком. Закутанная продавщица с розовыми щеками вывалилась из ларька и стала взвешивать оранжевые плоды.

В этом «*теперь уже*» отца слышалась неприкрытая обида, но Турка не смог бы высидеть еще один вечер — новогодний вечер! — под недовольное брюзжание отца.

— Мам, смотри! — пропищал голосок.— Давай себе тоже такую купим!

— У нас денег нет, Тоша,— сказала женщина.

— Ну, мам! Давай хотя бы ма-аленькую елочку ку-у-пим! — Турка поглядел на малого лет пяти-шести. Он держал мать за руку, приседал, подпрыгивал и вихлялся.

— Стой смирно, Тош.

— Мама, почему нам Дед Мороз елку не принесет? Я ведь хорошо себя веду! — вопрошал мальчишка.

Вернулся отец с пакетом.

— Еще бананов купил в довесок. Пошли! Ты чего застыл, Артур?

— Да ничего,— вздохнул Турка, так и не услышав, что же сказала мать Тошке.

Турка ведь тоже старался вести себя хорошо, но судя по «подаркам», не вышло.

* * *

Елку наряжали с отцом. Впервые, раньше ведь идейным вдохновителем, дизайнером и организатором была мама. Состояние уже не критическое, но... медики побоялись, видимо. Может, отпускали уже раньше таких, сердечников, те перебирали со спиртным и возвращались, но уже не в палату.

Достали коробку со старыми игрушками — «дождики», шарики, мишура и мягкие зверушки на петельках. Снеговики, олени, дед-мороз и Снегурочка, Двенадцать Месяцев (март и октябрь потерялись), пастушок, зайчики, Старик Хоттабыч. Три переплетенные меж собой гирлянды вытащили, одна — с огромными разноцветными фонариками.

— Это дед нам подарил. Из ГДР привез, в восьмидесятом,— сказал отец.

Естественно, Турке досталось испытание: распутать тонкие проводки, а кроме того,— оживить эту самую немецкую гирлянду, вкрутив в нее новые лампочки взамен перегоревших. Отец тем временем устанавливал елочку, возился с подставкой.

— Твою за ногу... Да стой же ты прямо! — пыхтел отец.

«Мама бы сейчас сказала, что нельзя ругаться, наряжая елку»,— подумал Турка.

И готовкой занялся отец. Салаты покрошил, пюрешку сделал, потушил мясо.

Спалил в духовке коржи для «Птичьего молока».

— Да фиг его знает, как делать... — бесновался он.— Артур! Ну ничего, что подгорели?

— Ничего,— вдохнул Турка сизый дым.— Нормально, поедим.

С грехом пополам доукрашали елку. Мама бы, наверно, сейчас фыркнула и перевесила бы все по-своему. Папа в конце концов плюнул и ушел смотреть «Ивана Васильевича», а Турка накинул капюшон и выскользнул на темную улицу.

* * *

Старый добрый пятый этаж. Турка постоял немного, прислушиваясь. За дверью тишина. Протянул руку к звонку, но тут щелкнул замок.

— Ой, добрый вечер.

— Здрас-сти.

— А Лена дома? — Турка разглядывал незнакомую женщину, отдаленно похожую на тетю Коновой, которую он видел тогда. Распухшая, с глазами-щелочками.

— Нету. Сколько можно к ней ходить? — женщина вытащила на лестничную клетку огромный мусорный пакет. Пахнуло объедками и тухлой заваркой — Один, другой... Съехала она. А куда — не сказала.

— Как это — съехала? Насовсем?

— Да кто ж тебе скажет. Пока нету, а потом може объявится. Мне Ленка отчета не дала.

— Но вы же... Вы ее родственница? — протянул Турка.

— Двоюродная тетка, понятное дело. Галей мене звать. Ой, мне на мусорку идти надо, а то весь подъезд провоняется!

— Хотите, помогу? — спросил Турка.

— Ой, ну спасибо тебе. Там недалеко идти-то. А мне еще в магазин надо заскочить.

Турка взял пакет, медленно спустился вниз за тараторящей теткой. По всему выходило, что Ленка ее общества избегала и в квартире появлялась весьма редко, и что «грубила, и все провоняла сигаретами своими, или травами какими, а слова поперек ей не скажи, своенравная девка-то».

Так они дошли до угла и расстались. Турка пошел к огромному жбану, тот был доверху набит мусором. Родственница Коновой пошла к магазину, а Турка забросил пакет на самую верхушку горки, тот скатился по другой стороне. Послышался треск и шорох, матюки.

— Е-мое! Ты куда ж бросаешь, а? — Турка обошел жбан. Фонарь светил на удивление ярко, и Турка разглядел незнакомца — бродягу в рваном драповом пальто, с палкой в руке.

— Извините, я нечаянно.

— За нечайно бьют отчайно,— хрипло ответил бомж и икнул.— У тебя десятка есть?

— Не-а,— Турка похлопал себя по карманам. Где-то звякнула мелочь, и он принялся выуживать монетку из дырки в подкладке.— Пять рублей вот.

— Давай сюда,— бомж подошел ближе.— Шо там, в пакете у тя было?

— Да это не мой. Я помог донести, не знаю.

ЭПИЛОГ

— А, помощник. Молодец. Вот она какая, жисть проклятая. У молодых деньги стреляю,— бомж потер поясницу и спрятал пятерку так быстро, что Турка даже не понял, где она исчезла.

— Вы извините. Я, правда,— случайно.

— Ладно, мне пора праздничный стол собирать, хе-хе! С наступающим тебя, паря.

Турка пошел прочь, а бродяга стал ворошить палкой мусор, кряхтя и покашливая.

* * *

Молчунов после пяти рюмок ушел в астрал: валялся на диване и подергивал конечностями.

Несколько парней уединились с этой самой Кариной, в спальне.

Остальные поддерживали разговор ни о чем. На столе нетронутый тазик с розоватой селедкой под шубой, рядом — раздербаненный пакетик с крошками чипсов «Лэйс», пластиковые тарелки с остатками жратвы. Несколько пятен от сока расплылись на скатерти.

Турка встал, накинул куртку. Надел чужие меховые ботинки с молниями, поскольку сам пришел в кроссах и не хотел сейчас возиться с узлами шнурков.

Морозная тишина окутала город. Отшумели последние салюты, и лишь вдалеке, по темно-синему небу, изредка проскальзывали беззвучные красочные искорки-метеоры.

Во дворе курила Люда, худая, невзрачная девушка. Турка вдруг вспомнил, как Конова выпускала дым ему в рот.

— Сигарету хочешь?

— Нет, я типа бросил.

— А зачем?

— Ну спортом занимаюсь. Турники, футбол там...

— Понятно. А я только под выпивку курю. Или перед экзаменом, когда волнуюсь,— Люда потыкала носком сапога сугроб. Снег шел с утра, и к бою курантов улицы прикрыло пуховое одеяло.

— Хреново что-то, скучно. Как встретишь год — так его и проведешь.

— А прошлый ты как встретила? — спросил Турка. Люда выпустила дым и ответила:

— Веселее было. Людей больше, танцевали еще под музыку. А сейчас как в гробу сидим.

— Ну этот же там возился с сабвуфером...

— Как его зовут, кстати?

— Дима?

— Нет, второго.

— Не помню,— признался Турка, и тут вдруг в щель приоткрытой двери долбануло «Большие городаааа, пустые поездааа».

— Фу, испугалась... Я почти не пила. Обычно много пью, а тут даже к водке не притронулась. Некайф что-то.

— И что, год веселый был? — Турка прочистил горло и сплюнул в снег. В доме что-то загремело, перекрывая песню, зажглось маленькое окошко туалета. Потом послышался отдаленный девчачий визг.

— Не поняла?

— Ну, «как встретишь — так и проведешь». Совпало?

— Нет,— засмеялась Люда.— А ты странный. В каком ты классе? В семьдесят пятой учишься?

— Да, в девятом классе. Потом — в колледж...

— А, ясно. Ладно, пошли в дом. Мороз, блин, холодно,— девушка отшвырнула окурок.

— Я еще постою немного. Голова хоть кружиться перестала.

— Это от духоты.— Люда поднялась по ступенькам, шаркая подошвами, и хлопнула дверью. Турка выудил из кармана холодный мобильник и зачем-то начал листать «Контакты».

«Полковнику никтооо, не пишет».

Аня какая-то... С *той самой* вечеринки, что ли? Турка поморщился, вспоминая Селедку и Стриженого.

Нажал на зеленую кнопку, прижал трубку к уху, через капюшон. Пик поздравлений давно прошел, почти три часа ночи. Сеть разгружена, гудок идет.

— Алло? — «Кислотная» музыка спицей кольнула мозг, на заднем плане орали и ржали еще громче.— Алло!..

— С Новым годом, Ань! — Турка прокашлялся.

— И тебя с Новым годом. А кто это?

— Не узнала? Ну, мы с тобой на дне рождения были.— Тут послышался шорох, будто кто-то сминал фольгу шоколадки.— Я подумал, может быть, ты можешь... Хочешь со мной встретиться.

Динамик зарычал, и громкий визгливый хохот врезался Турке в ухо:

— С наступившим! Хоп-лей, ла-ла лей! ХА-ГА-А-а! Наливай, братва!

Турка отнял телефон от щеки и нажал на красную кнопку. Спрятал мобильник в карман, вдохнул несколько раз морозный воздух и нырнул в дом. Заглянул на кухню — Молчунов на полу, Двойничок так и сидит, пялится на пустой стакан.

«*...полковника никто не ждееет*».

Как, интересно, справляют праздник остальные одноклассники? Муравей? Мария Владимировна? Жирдяй со стадиона? А менты? А тот бомж? Вова?

Лена, которая так любила уже закончившуюся песню?..

Бэтман так и вовсе не увидит Нового года. А что он вообще повидал в своей жизни, кроме издевательств и насмешек?

Снег скрипел под ногами. В некоторых местах на небе образовались прорехи, и сквозь них подмигивали голубые гвоздики звезд. Турка думал о Лене, о ее любимой музыке. Сейчас и у него самого в голове крутилась другая песня, «Оазисов». Где-то Лена сейчас? Встретить бы ее, обнять... Вот бы сразу после Нового года начиналась весна! А лучше сразу лето.

Откуда-то Турка знал, что с Леной все в порядке, и сейчас она тоже видит эти звезды, и, возможно, немножечко грустит, вспоминая о нем, о том времени, когда они были вместе. Может быть, летом они и впрямь встретятся на море. Созвонятся и встретятся.

Когда били куранты, Турка пожелал, чтоб вонючая школа побыстрее закончилась и растворилась в прошлом. Вместе с уроками и звонками, вместе с обидными кличками, вместе с шумом и криками, вместе с тошнотворной жратвой в столовке, с визгливыми голосами преподш, вместе со скучными предметами и всей этой грязью, мерзостью.

Хотя, может быть, школа — это репетиция жизни? Турка не хотел этого.

Все уходит, и детство тоже, а куда — неизвестно. Прямо как Ленка. Может быть, она позвонит когда-нибудь, может, они еще увидятся.

«Надо идти к маме. Надо к маме... Как она там, одна, в палате?»

Будущее — это СЕЙЧАС, и никто не знает, что случится завтра.

* * *

— Куда, куда?! Нельзя, больные спят, не пущу!

Турка пер как танк, то с одной стороны бабушки, то с другой. Прорвался в конце концов, и, не обращая внимания на ее возмущение, потопал по пустым, гулким коридорам. Он пару раз навещал маму, но сейчас все было как в тумане, как в незнакомом лабиринте. Больницы похожи одна на другую: коридоры, палаты, пост медсестры с горбатой настольной лампой. И, конечно, запах — не лекарств, а болезни, чего-то похожего на школу.

— Э, парень, ты куда? Стой! — прогудел сзади бас. Медбрат, наверное.

Девятая палата, девятая... Турка толкнул дверь. Стены сизо-пепельные, тускло поблескивает линолеум. Турка только сейчас понял, что маму нельзя волновать, и что это может быть чревато, но уже вошел в палату, без бахил, естественно, оставляя мокрые следы. Остальные койки пустовали, одна мама лежала под одеялом.

Восковое лицо тонет в сине-черных тенях, нос заострился.

У Турки тревожно шелохнулось сердце в груди. Шагнул, скользнул на колени возле тумбочки, вгляделся в такие незнакомые теперь черты. Как будто прежнюю маму кто-то медленно стирал ластиком все это время, день за днем, и теперь перед ним лишь размытый контур.

Турка уже не слышал, как его окликают на пару бабушка-сторож и детина в зеленоватом халате.

— Мама... мамочка,— пробормотал Турка, и горло сдавил соленый комок.— Я пришел к тебе, мамочка... Прости меня, пожалуйста, я буду теперь хорошим. Прости меня, мама, и не умирай, и не болей, прошу тебя, прошу, мамочка... — шептал он.— Я теперь буду хорошим, я никогда... Никогда больше не буду... — он плакал, и слезы текли по щекам.— Мама, мама... Ну скажи что-нибудь, мама... Прошу тебя.... Мамочка...

Тишина. Сквозь решетку окна в палату струится тусклый, синеватый свет. Совсем-совсем не праздничный.

— Мамочка... Я люблю тебя...

— Ох, как раз о тебе думала, не поверишь. Это правда ты, Артур? Что ты, что ты, ш-ш, не плачь, праздник ведь. Я тебя тоже люблю.— Руку Турки сжали пальцы — теплые, нежные.— С Новым годом тебя, сыночек. С новым счастьем.

СОДЕРЖАНИЕ

Литературно-художественное издание

18+

ПАВЕЛ ДАВЫДЕНКО

УЧИЛКА

Ведущий редактор *Инга Апрелева*
Художественный редактор *Юлия Межова*
Технический редактор *Валентина Беляева*
Компьютерная верстка *Ольги Савельевой*
Корректор *Валентина Леснова*

Подписано в печать 10.10.2017.
Формат 84 x 108 $^1/_{32}$ Усл. печ. л. 16,8.
Тираж 2 000 экз. Заказ № 5770.

Общероссийский классификатор продукции
ОК-005-93, том 1; 953000 — книги, брошюры

ООО «Издательство АСТ»
129085, г. Москва, Звездный бульвар,
д. 21, строение 1, комната 39

Отпечатано с электронных носителей издательства.
ОАО "Тверской полиграфический комбинат". 170024, г. Тверь, пр-т Ленина, 5.
Телефон: (4822) 44-52-03, 44-50-34, Телефон/факс :(4822) 44-42-15
Home page - www.tverpk.ru Электронная почта (E-mail) - sales@tverpk.ru

ЗВЕЗДА РУНЕТА • ТРИЛЛЕР

ЛОВЦЫ ПЫЛИ

ТАМ ГДЕ ЗОЛОТО — МИРАЖ, А ДОБРЫЙ ДРУГ — УБИЙЦА

18+

Ила Опалова

Она думала, что страсти кипят — там — по ту сторону от ее выстроенного мира. Азарт, победы, потери... Но самая большая ставка — это только деньги, в ее жизни теперь победа — это просто дожить до утра. Следующий день будет не лучше сегодняшнего. Она все еще жива, надолго ли? И кто будет следующим?

А кто-то снова делает ставку, кто-то верит, что сегодня он выиграет.

ЗВЕЗДА РУНЕТА • ТРИЛЛЕР

СУДЬБА С ЧУЖОГО ПЛЕЧА

КОГДА ЗА БУДУЩЕЕ ПРИХОДИТСЯ БОРОТЬСЯ С ПРОШЛЫМ

18+

Анна Иванова

Дину обвиняют в убийстве пятилетней падчерицы. Пытаясь доказать свою невиновность, она осознает, что донашивает судьбу, как платье с чужого плеча.

Сумеет ли Дина противостоять настоящему убийце и наладить пусть не самую удачную, но свою жизнь?